黃熾霖著

文史哲學術叢刊

曹魏時期中央政務機關之研究

——兼論曹操與司馬氏對政制之影響

文史哲出版社印行

國家圖書館出版品預行編目資料

曹魏時期中央政務機關之研究：兼論曹操與司馬氏對政制之影響/ 黃熾霖撰. -- 初版. -- 臺北市:文史哲,民 91
面; 公分.（文史哲學術叢刊;16）
參考書目:面
ISBN 957-549-419-9 (平裝)

1.政治制度 － 中國 － 三國魏（220-265）2.人事制度 － 中國 － 三國魏（220-265）

573.124 91004027

文史哲學術叢刊 ⑯

曹魏時期中央政務機關之研究

兼論曹操與司馬氏對政制之影響

著者：黃熾霖
出版者：文史哲出版社
http://www.lapen.com.tw
登記證字號：行政院新聞局版臺業字五三三七號
發行人：彭正雄
發行所：文史哲出版社
印刷者：文史哲出版社
臺北市羅斯福路一段七十二巷四號
郵政劃撥帳號：一六一八〇一七五
電話 886-2-23511028・傳真 886-2-23965656

實價新臺幣五四〇元

中華民國九十一年 (2002) 三月初版

ISBN 957-549-419-9

曹魏時期中央政務機關之研究

兼論曹操與司馬氏對政制之影響

目　　錄

附表目錄

附錄目錄

序

本書是我計劃研究三國政治制度的第一本，往後還希望完成曹魏中央行政機關、孫吳政制及蜀漢部份，希望最後能對三國時期的政治制度，如何上承兩漢，下開兩晉的政制發展有一總覽。

本書的完成要感謝的人太多，家人的支持、同事的鼓勵及朋友的幫助，都會銘記在心；特別要感謝是花蓮師院社教系張智欽及許富凱兩同學，對我這個不太懂得運用電腦的人來說，他們分擔了我大部份這方面的工作，以致能在期限內完成，特此致謝。

另外，本書研究期間受行政院國家科學委員會資助，在此一併致謝。

由於很多因素，本書內容疏漏之處在所難免，還望同行不吝指正爲要。

第一章　導論

第一節　曹魏政制的重要性

中國中古政治制度有秦漢與隋唐兩大典型，而魏晉南北朝則爲此兩型政制之交替轉化時期，但制度的發展有其連貫性，也有因革損益，到底魏晉時期如何因秦漢之舊規，開隋唐之新境，站在制度史的立場，興替轉變之間，自有值得研究的地方，只是這問題卻非常複雜。

問題所以複雜，時間是第一個原因，魏晉南北朝時期長達四百多年，政治制度爲適應時代所需，必然要作一定程度的變動；另一個原因是國家處在分裂的狀態、朝代興滅、疆域分合，同樣對政治及社會環境造成變遷，也同時牽動政制的因革變動，這兩個原因正足以增加研究及了解此時期政治制度的困難；也因爲這兩個原因，我們斷不能以整體的觀點去瞭解魏晉南北朝時期的政制，反倒可以分爲許多獨立的時段或朝代加以深入探討，因爲各時期均會因自身的情況，在既有的制度下發展及改良屬自己特有之政制，十足顯示政治制度的多樣性及變動性。

在這眾多時段或朝代中，曹魏時期自應具有一定的研究價值。因爲在時間斷限的劃分上，習慣把曹魏當作魏晉南北朝時期的開端，也因此曹魏是否自然成爲政制中兩大類型的交替轉化之開端？如是則曹魏之重要性不言而喻，這是曹魏時期值得研究的原因。

站在制度史的立場，曹魏時期似乎確實扮演承先啓後的角色，因爲《晉書》<職官志>載:「魏武帝為魏王，置秘書令典尚書奏事。文帝黃初初，改為中書，置監令……監令蓋自此始也。」同卷也載侍中「秦漢俱無定員……魏晉以來置四人」。[1]雖然中書及侍中的創設不在曹魏時期，然而從以上的記載中可見制度化的中書及侍中，卻在曹魏時候才出現；另據《通典》<職官>載「魏置中書省，有監令，遂掌機衡之任，而尚書之權漸減矣。」[2]即尚書地位之疏外，亦自曹魏始[3]。這些資料對隋唐時三省制源流的問題提供非常重要的線索，甚至有可能是三省制奠基的重要時刻，因此在研究中國政治制度史或三省制之源流問題上，曹魏一朝之情況更是不容忽視或輕易放過。

---

[1] 《晉書》，卷 24<職官志>，（台北：鼎文書局，1983），頁 734 及 733。

[2] 《通典》，卷 22<職官四>，（北京：中華書局，1992），頁 588。

[3] 陳啓雲在<兩晉三省制度之淵源、特色及其演變>一文有不同看法，認尚書在東漢已成疏外，論証詳實，應爲定論，但陳氏也有認爲尚書台之發展，有些地方的轉變是在魏晉開始，「及至魏晉，尚書省處理文案之職權既獲得獨立發展……因此遂形成尚書省處理公文一種特殊的性能。」這方面是否可視爲制度化處理公文的開端？《新亞學報》，3：2（1958.2），頁 120。

遺憾的是《晉書》＜職官志＞、《宋書》＜百官志＞[4]及《通典》等在記載魏晉時，對曹魏時期的記載似過份簡略，有關魏晉時期，重點都放在晉朝，以致曹魏的重要性無法彰顯，曹魏時期的發展情況更不能明析；近人研究中國政制史者多與此相同，在專書方面有沈任遠的《魏晉南北朝政治制度》[5]、呂思勉的《兩晉南北朝史》[6]、陳仲安與王素合著的《漢唐職官制度研究》[7]、黃惠賢著《魏晉南北朝史》[8]、曾資生《魏晉南北朝》[9]、曾繁康《中國政治制度史》[10]、張金鑑《中國政治制度史》[11]及孫文良《中國官制史》等書[12]；此外在論文方面，也有張亞澐的＜魏晉南北朝之尚書＞[13]、前引陳啓雲的＜兩晉三

---

[4] 《宋書》，卷 39、40＜百官志＞，（台北：鼎文書局，1980），頁 1217 至 1267。

[5] 沈任遠，《魏晉南北朝政治制度》，（臺北：臺灣商務，1971.10），頁 24。

[6] 呂思勉，《兩晉南北朝史》下冊，（臺北：臺灣開明書店，1977.6），頁 1229。

[7] 陳仲安、王素著，《漢唐職官制度研究》，（北京：中華書局，1993.9），頁 40。

[8] 白綱主編，黃惠賢著，《中國政治制度通史》第四卷，＜魏晉南北朝＞，（北京：人民出版社，1996.12），頁 22。

[9] 曾資生，《中國政治制度史》第三冊，＜魏晉南北朝＞，（香港：龍門書店，1969.10）。

[10] 曾繁康，《中國政治制度史》，（臺北：中華文化出版事業委員會，1955.8）。

[11] 張金鑑，《中國政治制度史》，（臺北：三民書局，1986.10）。

[12] 孫文良，《中國官制史》，（臺北：文津出版社，1993）。

[13] 張亞澐，＜魏晉南北朝之尚書＞，《國立政治大學學報》，8（1963.12）。

省制度之淵源、特色及其演變＞及胡秋原＜三國西晉之政治制度＞[14]等，由於這些研究都把重點放在兩晉，造成曹魏在這過渡期的角色不明，因此本書即欲對曹魏一朝的政制作一探討，以補足從前的不足，以明其在魏晉南北朝時期的角色與貢獻。

[14] 胡秋原，＜三國西晉之政治制度＞，《中華雜誌》，20：6（1982.6），頁 38-43。

第二節 本書主要探討的問題

前人研究的重點多集中兩晉，少數觸及曹魏政制的研究成果亦甚少能對它作整體的描述。所謂整體，就如同前引張金鑑一書有言「三個部門（元首、宰輔及行政組織）的功用，同等重要，缺一不可。在政治制度運作上，若欲政府能以成功的有效的完成其使命，亦必賴於此三個部份的適當分工與合作。」[15]亦即是說政治制度本身有其整體性，所謂牽一髮動全身，任一部份的改變都會對整體造成影響，因此必須能掌握此一時代政制的整體性，庶幾才能窺得全貌，研究曹魏時期的政制也需要用此方法。

然而要真能作全面整體的研究，其實也有一定的困難，最主要是一個整體性的中央政府，其職權及組織都十分龐大，要能在一個研究上兼顧所有問題，確有一定的困難度。因此對中央政府的研究可能需要作適當的劃分，劃分為若干較小部份從事研究，待研究結果完成後再以整體的觀點去合看這些研究結果；問題是劃分的標準為何？該如何去劃分？因為這部份如果不夠周延，則研究後的結果對問題之解決可能有事倍功半的情形[16]。

---

[15] 張金鑑，《中國政治制度史》，頁 111。

[16] 如張亞澐之＜魏晉南北朝之尚書＞一文，結論是「尚書一官在兩

漢以前，雖均屬內朝官，但其性質自漢武帝而一變，自光武帝而再變，一變而侵蝕相權，再變而握有相權，先曹魏以後而三變，由內朝官轉變而為外朝官，其原來所握有之相權則反被侵蝕而終致喪失。」張氏對尙書之發展容有見地，但更重要的是當時整個中央體制如何調整配合此發展，諸如宰相、三公及九卿等如何把權力過渡尙書，行政程序怎樣改革，只有解答這些問題後，尙書在中央政制中的地位才能掌握，所以只針對政制的某一部份研究者，難免會有缺失。

又如陳啓雲的＜兩晉三省制度之淵源、特色及其演變＞一文，綜合討論三省的情況，當然要比前述張氏之論較優，然其重點本在兩晉，關於曹魏部份只簡略提及，陳氏有言「中書門下對於尚書制度不但息息相關，且二者的權勢常形成互為消長之情況」，可見尙書中書及門下之關係，實非探討其中一個所能掌握，然而陳氏雖把三省作一全盤的整理，其實尙嫌不足，因爲在時間上，曹魏時期過於簡略，在政制上又缺乏其他政務官員如三公的比較研究（三公是否有必要一併研究，下有詳論），則當時政務機關的整體性，將因被割裂而難見全貌，這些都是研究局部的缺點。

還有胡秋原的＜三國西晉之政治制度＞一文，其最大的發現是認爲「魏之官制，始由曹操懷篡代之計，便於專權」這一部份，除此之外並沒有提出各種官位之關係、職務之分工等問題。

至於專書的部份，也可分爲兩種，一種是通論中國歷代政制，另一種是以斷代政制爲主要討論對象，由於內容以中國歷代政制或討論一朝的政制，本應避免前述不能掌握整體之問題，實際上卻不盡然，由於中國歷史的綿長及政制的複雜，這些書所探討反而呈現更精簡或是制度被割裂的情形，造成前後不能呼應的情況；如曾繁康的《中國政治制度史》一書，認爲「中書之官，始於曹魏……只因職掌機密，接近君主，詔命所出，故代尚書而為中央最高的決策機關。」可見其肯定中書的地位，然而在同書討論門下省時卻說「降至魏世，其（侍中）權更大，已與尚書同其重要」，更引《三國志》<魏志•程昱傳>「內有侍中尚書，綜理萬機」以証之[16]，這兩部份的討論正好呈現兩相矛盾處，到底何者爲重？或者在時間上有沒有先後次序？實不容易爲人所明白。

另外張金鑑的《中國政治制度史》及孫良文的《中國官制史》，也只是籠統的說「此時期中書令、尚書令侍中迭為機樞要職。」或「魏晉機要之位，由尚書而歸中書。」對三者發展的關係及尙書跟九卿的問題也並未具體提及，正因其目的在討論中國歷代政制之發展，篇幅所限，故只能以歷代政制中較重要突出之處論述，相關問題多未解答，故難言詳實。

曾資生的《中國政治制度史》第三冊<魏晉南北朝>一書，可算是最早單一討論魏晉政制的專書，然綜觀全書實有把中央政制割裂的感覺，三省的發展在曹魏一段，同樣與人矛盾的感覺，如討論尙書臺省，書中說「魏時八座尚書，事任與秦漢公卿不異，已成為中央分行政務的法令機構。」秦漢時公卿權重已爲共識，以之相比，可見尙書其時之權力；但書中討論中書省時又說「自魏晉以下，則中書又代尚書握政治實權。」還有在述論侍中時又說「（文帝時）侍中雖尚有執虎之嘲，然權勢已重。」個別去看書中三省的發展，似乎都能掌握其發展情況，但綜合觀之，三省在此時期的關係如何，究屬誰的權力較大，則難下斷言，所以說使人有割裂的感覺。

陳仲安及王素合著的《漢唐職官制度研究》一書，因爲較屬於學術性的著作，情形較爲理想，但對於中書與侍中、及尙書與九卿的關係，卻並未淸楚交待，只說「中書、門下與君主關係非常親近，尚書與君主關係比較疏遠。」另外又說「當時尚書主事務，卿監亦主事務，二者關係十分難處」[16]；至於更詳盡的諸如中書及門下在權力交替的原因、過程，誠如曾資生所說「欲明白秦漢中央政府甚至中國歷代中央政府的組織，首先須了解輔助最高行政首長——君主——處理政務的幕僚性的官司和奉承君主命令分行政務的行政組織兩者之間的差別。前者變化極多，後者則比較簡單。」[17] 本書希望先以「輔助最高行政首長——君主——處理政務的幕僚性的官司」作一獨立研究，以期明白當時整體的政務機關運作之情形；至於行政機關則留待日後再作研究，更希望日後行政機關完成時，則曹魏中央政制自可得到完善的解答。

然而所謂政務機關又該如何定義？它包括的職官有那些？如果我們以前引曾資生所說「輔助最高行政首長——君主——處理政務的幕僚性的官司」爲定義標準，

或欲釐清尙書與九卿的職權，則此書同樣沒有交待。

最後還有黃惠賢的《魏晉南北朝史》，此書的內容是以陳仲安及王素一書爲基礎，再加以進一步的探討，雖然對陳王二氏所合著之書有所補正，如以中書爲「機要祕書」而門下則爲「機要參謀」來分別這二者之關係，然而似乎仍有未能完全令人明白的地方，如書中描述中書及門下發展時，它們的掌權的時間皆在曹魏初期，則它們如何能共同享有及運用權力而不衝突？然而前引《三國志》<魏志程昱傳>所載「內有侍中尚書，綜理萬機」，不見中書的記載，則証明這三者掌權的時間上及相互關係上，似乎並不如此單純，仍有討論的空間。另外尙有諸公官的問題，下面討論政務機關之範圍自有交待。

[17] 曾資生，<魏晉南北朝>，頁 13。

這樣的標準對曹魏時期而言，實不容易劃分。

首先，所謂君主，曾氏所說的君主是建基在一個前提下，即君主是一個擁有實權的行政首長，可是曹魏一朝似乎某些情形有別於此；試看建安年間[18]，皇帝應爲漢獻帝，實權卻落在曹操手中，以曹操當時的職位看，他應屬宰輔系統；另外曹魏政權自曹芳始，軍政大權又爲司馬氏家族所把持，司馬氏家族論職位也應屬宰輔系統。原來的宰輔機關成爲真正領導者或稱爲元首，造成元首及宰輔兩者的界線模糊不清，難於掌握。所以本書在討論的過程中，可能針對當時權力擁有者本身而言，以他與名位擁有者兩相比較，以明權力者在當時的地位。

至於政務機關或稱宰輔系統，曾氏認其「作用均係助理君主行政」[19]，前引張金鑑一書則認「宰輔重臣的任務在於佐元首導萬民決定國家政府政策及指導其施政之方針」[20]，兩人看法大體相同，即政務機關主要在幫助君主或皇帝處理國家大政；而曹魏時期政務或宰輔機關之成員爲何？運作方式爲何？大體史學界關於這部份也有一些共識，即秦漢時的政務機關爲丞相、太尉及御史大夫，歷兩漢至魏晉時期，演變過程中則加入錄尚書事、

---

[18] 曹魏一朝的時間斷限在第二章有較詳細的論述。
[19] 曾資生，<魏晉南北朝>，頁 13。
[20] 張金鑑，《中國政治制度史》，頁 111。

尙書、中書、門下等官員，不過在大體的共識下仍有一些小爭議，如曾氏認爲到魏晉時期「秦漢以來的三公及其他古代的諸公官稱，至此完全為虛榮的官位，除一班非人臣者流轉移改政權的過程中利用以為尊隆的官銜外，大都變為加贈榮寵之官，與實際政務無與。」[21]誠如此，則諸公可以不論，可是黃惠賢則認爲「魏晉北朝，諸公一般仍開府，具官屬，似有政務處理，尚具一定的權力。」[22]所以當時的政務機關的範圍爲何？諸公是否應該包括其中？似有待更進一步的研究才能確定。

基於此，本書試圖把相關的官員全部納入研究範圍內，以明曹魏時期的真實情況，而諸公的範圍就如黃氏所說「三國時，在相國、丞相之下，太尉、司徒、司空等之上，除了前面提的太傅、太保外，還有大司馬、大將軍等上公官。」[23]總數共有八個之多，再加上錄尙書事、尙書、中書及門下等相關官員，都應放在討論範圍之內。

另外，當時因曹操及司馬氏以準元首的身份，爲順利政權之過渡，故在原有之宰輔及行政組織外，成立屬於自己的宰輔及行政機關，以與舊有機關作一區隔，並逐步取代原有之機構；所以我們更應注意以下的問題，

---

[21] 曾資生，＜魏晉南北朝＞，頁 35。
[22] 黃惠賢，＜魏晉南北朝＞，頁 85。
[23] 黃惠賢，＜魏晉南北朝＞頁 83。

如建安年間所謂的舊政務機關包括的成員爲何？在當時處於何種地位？有何種權力？曹操是否此政務機關的領導者之一？他又以何種方式建立其自已的政務幕僚單位？這兩者的職權及權力如何過渡？他們之間的關係爲何？曹操建立此基礎對曹魏政權有何影響？其次，曹丕篡漢，新的政權與曹操時期有何不同？其政務機關成員爲何？職責爲何？運作的情形爲何？這種形式的權力結構維持的時間多長？後來有沒有改變？改變的時間及原因爲何？改變後的形態又是如何？最後司馬氏控有曹魏政權，司馬氏如何取得控制權？司馬氏面對與曹操相同的情形，他的處理方法是否一致？如果不是又是如何？這些問題的如能得到合理的解答，對曹魏時期的政務機關之發展，自能得一明晰的概念。

總結而言，如欲掌握曹魏中央政務機關的發展情況，必須重新審視各職位及各機關在不同時代所扮演的角色及相互之關係，如丞相、三公、大司馬、大將軍及錄尙書事等職位的角色，尙書、中書及侍中等機關的職務，以及這些職位與機關的相互關係，只有全盤解決這些問題後，曹魏中央政務機關之情形才可能有較明晰的掌握。

政治制度的變動，原因並不單純，有社會問題所引發、有經濟問題所造成、有國家安全所牽動，不過這些外在因素對政制的發展也可能不致構成太大的影響，因爲這些問題都可在原有的架構下調整處理，或者另外成立新機關也未必影響原有的政體；政制的變革，人事常是真正底層的重要因素。特別是中央權力結構方面，這種情形更明顯，如前述準元首的出現，勢必牽動一波波的人事更替，因爲中國政治制度的一個特點是宰輔機關的名實不符，皇帝的近臣常取代虛名的宰輔而成實握權力者，更何況有名實不一的兩個領導中心之曹魏時期；職是之故，欲對政制的變動更深一層的了解，勢必對人事問題作一疏解才能明瞭。

所以本書的第二個研究方向即爲人事問題，即政制中有關人的部份，但本書並非要討論政治人物的政治思想或政治理想，只是針對人事問題中，可能牽涉到的社會階層、地域觀念，甚至在皇帝的立場看更關係到朝廷中政治派系的權力均衡等問題，作詳細的比較研究。

中古時代，社會階層的劃分有士族跟寒庶兩大部份[24]，地域觀念在曹魏時又有汝穎集團及淮泗集團[25]，從曹

---

[24] 討論中古士族頗多，專書方面有何啓民，《中古門第論集》，（臺北：臺灣學生書局，1978）；毛漢光，《中國中古社會史論》，（臺北：聯經出版社，1988.2）等；論文方面有徐高阮＜山濤論＞，《史語所集刊》，41：1（1969.3）；劉顯叔＜論魏末政爭中的黨派分野＞，《史學彙刊》，9（1987.10），頁 17-46；盧建榮＜魏晉之際的變法派及其敵對者＞，《食貨復刊》，10：7（1980.10），頁 271-292 等。

操起，曹魏各皇帝有沒有處理或調和這些政治勢力，處理的痕跡有沒有表現在制度層面上，諸如曹操或司馬氏，在篡奪政權的過程中對這些政治勢力如何對待？文帝及明帝時期對這些勢力又如何處置？另外，有沒有影響政制的發展，諸如職官的升遷，是否因派系之升降所造成等？如果能明白這中間的情形，對曹魏政制的掌握將大有助益。

爲要解答以上的問題，本書將對曹魏一朝之相關官員作一整體的歸納分析，對相關政務官員的任遷作一統計分析；首先是對各政務官員進行入出遷資料統計，希望了解各政務官員的任用條件及升遷途徑，並進一步了解他們的任用與升遷有沒有依循一定的軌跡，即能見制度之穩定性？其次則對各政務官員相互之關係進行分析，希望了解他們的任用與升遷是否遵循著一定的程序進行？從而瞭解關於曹魏時期政務官員升遷架構，相信對曹魏政務機關會有更進一步的理解。

其次則爲官員的籍貫分析，曹魏時期根據地域的關係而有汝穎及譙沛兩大政治勢力，前引萬繩楠＜曹魏政治派別的分野及其升降＞一文即指出這兩大政治勢力是曹魏政權的重要支柱，然而據萬氏的研究，他們相互之

---

[25] 這方面有萬繩楠＜曹魏政治派別的分野及其升降＞，《歷史教學》，1964：1（1964.1），頁 2-11。

間存在著敵對及競爭的形態，甚至在勢力的發展上有此消彼長的現象，本書也希望對此問題作一了解，並希望以數據爲基礎，探討這消長之發展過程；同時，把統計的對象擴大爲所有的政務官員，範圍則包括全國的州，希望透過此一統計的結果，能對因地域而結合的政治勢力有更進一步的了解。

本書希望透過以上兩個方向的探討，除了對曹魏時期的政治制度本身之因革損益有所瞭解，更進而釐清制度與人事關係之相互交錯糾葛的情形。

第二章　曹操對曹魏政制之影響

第一節　曹魏一朝的時間斷限

關於曹魏一朝的時間斷限問題，孫文良在《中國官制史》有言「三國之中，只有魏國是和東漢一脈相承下來的國家，而且兩個朝代很難找出一個劃時代的嚴格標誌。以魏文帝即位為始，則名義上說得通，實際上不符合；以建安元年曹操迎漢帝都許昌為界線，實際上有道理，名義上分不開。所以在官制上魏漢非常相似，在曹操『挾天子以令諸侯』的一段裡，既是漢又是魏。魏文帝及其後繼者又無根本改變，二者相同之處必然較多。」[1]

如果以朝代的更替而言，魏文帝黃初元年當然可以作爲劃分的界線；若站在制度史的立場，問題則比較複雜，是否真如孫氏所言，東漢曹魏非常相似，以至魏文帝後又無根本的改變，則有待商榷。

一般討論兩漢及魏晉政制方面的書，對魏晉時期的時間斷限，大概採取三種劃分法；第一種是把獻帝（公元 181-234）建安年間也歸入東漢時期一併討論，重點則

[1] 孫文良，《中國官制史》，（台北：文津出版社，1993），頁 112。

放在東漢，如宋人徐天麟的《東漢會要》[2]。第二種是以建安十八年魏國建立時起計算，建安元年至十八年則略，如清人楊晨的《三國會要》[3]。第三種是把魏晉劃同一時段，但以晉爲主，而曹魏的時間又以曹丕篡漢爲始，有關曹操的時期卻只稍略帶過，如《晉書》＜職官志＞[4]、《宋書》＜百官志＞[5]及《通典》[6]等；近代研究中國政制史者多持此看法，在第一章第一節所引之專書及研究論文多屬之。

然而筆者站在制度史的立場，對此三種劃分法，咸認有一共同的缺點，即無法呈現建安年間在政制上可能具有關鍵性的地位，同時也無法呈現曹操在這期間可能扮演的重要角色。如果對這兩方面得不到較爲完整的解答，對了解曹丕以後的曹魏政權可能也受一定程度的影響。爲甚麼說建安年間可能是一個重要的關鍵時期？曹操的重要性又是如何？

建安年間爲關鍵年代的原因，如本書第一章第一節

---

[2] 徐天麟，《東漢會要》，卷 19-卷 25，（北京：中華書局，1998 年），頁 191-278。

[3] 楊晨，《三國會要》，卷 9-卷 10，（北京：中華書局，1998 年），頁 131-200。

[4]《晉書》，卷 24＜職官志＞，（台北：鼎文書局，1983），頁 723-750。

[5]《宋書》，卷 39-40＜百官志＞，（台北：鼎文書局，1980），頁 1217-1267。

[6]《通典》，卷 22＜職官四＞，（北京：中華書局，1992），頁 587-627。

即引《晉書》＜職官志＞及《通典》等証明三省制度化的轉變是在曹魏時期，至於確切的時間，似乎落在曹操爲魏公或魏王之時，即建安十八年或廿一年；首先是侍中，《晉書》載「秦漢俱無定員……魏晉以來置四人」，據萬斯同的＜魏國將相年表＞，侍中在建安十八年的員額即爲四人[7]，另據《資治通鑑》中胡三省注稱「自是以後，侍中遂以四人為定員。」[8]可見侍中在員額的編制上，於建安十八年始定。

至於中書，正式成立雖在文帝黃初元年，然而如果更確切而言，則應以曹操置秘書令爲始，因爲曹丕正是以秘書改爲中書，而且職掌相同，皆「典尚書奏事」，曹操置秘書令的時間是建安廿一年爲魏王時，可見此兩者於曹魏時期是邁向制度化之開端，就中書及侍中而言，建安年間可能就是一個關鍵時期。

至於尚書臺，第一章中也有提到在某些方面的制度化現象似乎是在魏晉時期建立，雖然這裡的魏晉時期是否包含建安年間，並沒有清楚的顯示，然而基於與中書及侍中的關係，把建安年間劃入曹魏時期應該是可以接

---

[7] 萬斯同，＜魏國將相大臣年表＞，收錄在《二十五史補編》(北京：中華書局，1986)，頁 2605-2606。

[8] 司馬光，《資治通鑑》，卷 66＜漢紀五十八＞(臺北：華世書局，1987)，頁 2124。

受的安排。也就是說建安年間可能是三省制法制化的重要時期，對政制史及三省制的源流問題，當然是非常重要的關鍵年代。

此外，建安年間也可能是有別於東漢時期的一種新政體，因爲《三國志》＜魏書武帝紀＞載「自天子西遷，朝廷日亂，至是宗廟社稷制度始立。」[9]即西遷後朝廷的制度才確立，然而這個制度是否與以前相同？似乎有討論的餘地，因爲政治制度本身有其變動性，變動的原則主要是依據政治及社會的現實需要，漢獻帝遷許前後的政治及社會環境，已非混亂兩字所能形容，也是史學界的共識，不煩多言；在面臨如斯的困境，舊有制度若不能配合新環境，自有調整的必要。如屯田制的實施，《三國志》＜魏書武帝紀＞記建安元年獻帝都許，「是歲用棗祇、韓浩等議，始興屯田。」[10]當然並不是說曹操時期發明屯田制，只是曹操時期的屯田制大別於以往的屯田制度；陶希聖及武仙卿合著的《南北朝經濟史》一書即言「兩漢時的屯田，大抵不外西北邊疆一帶」，接著又說「於是後代政府的屯田，除去邊疆以外，內地也正規的實行。這時候屯田的性質，不僅是兵屯，又加上民屯，成績最

[9] 《三國志》，卷 1＜魏書・武帝紀＞，（台北：鼎文書局，1980），頁 13。
[10] 同前註，頁 14。

顯著的要算曹魏時代。」[11]所以曹操時期對東漢原有制度還作了何種更動？更動的結果爲何？對往後有何影響？這都是對建安年間所應注意的事情。

至於在建安年間制度變革中曹操所扮演的角色爲何？也有深入研究的必要，萬繩楠在《魏晉南北朝史論稿》一書稱「曹操對東漢的官制，進行了改革，建立了以丞相為首的外朝台閣制。」[12]從《三國志》中我們可以看到曹操在這段期間對政制的發展實有著重要的影響，當中應以獻帝建安元年開始，曹操迎獻帝至許，獻帝先以其爲錄尚書事，後轉大將軍、司空行車騎將軍，漢因之得以重立宗廟社稷制度；又在建安十三年曹操爲丞相，及建安十八年爲魏公，建魏國宗廟社稷[13]，在這段時期曹操實際上握有漢朝廷的最高政治權力；而錄尚書事、司空、丞相等皆曾爲兩漢時期重要的政府領導人，也同時在東漢失去政治地位（下文將有詳細討論），曹操擔任此等職官後，有沒有改變他們本來在東漢時期的地位及權力？對曹魏政制的發展又有影響？

---

[11] 陶希聖、武仙卿著，《南北朝經濟史》，（台北：食貨出版社，1979），頁 40。持相同觀點的尚有很多學者，如高敏，《魏晉南北朝經濟史》上冊，（上海：上海人民出版社，1996 年），頁 185-187。

[12] 萬繩楠，《魏晉南北朝史論稿》，（臺北：雲龍出版社，1994），頁 23-24。

[13]《三國志》，卷 1<魏書・武帝紀>，頁 13-14、頁 30 及頁 37。

最後就政權之傳承而言，曹操政權最後由曹丕承接下來，正式成爲曹魏一朝；曹丕承襲的不單是政權本身，更重要是連曹操時期的一些政策也承襲下來。前面提到屯田制度，當時的屯田制其實分兩種：民屯及軍屯，前述爲民屯，而曹魏的軍屯是何時所立？鄭欣在＜論司懿＞一文考証認大約在建安廿三、廿四年間由司馬懿向曹操提出，曹操接納實施，但一切有關的制度諸如度支中郎將、度支校尉、度支都尉等官員，都要到曹丕黃初年間才設置[14]，這例子應該可以說明曹丕建立的曹魏政權，不止政權本身源自曹操，甚至政策也有源襲曹操的可能性，因此如果我們想清楚了解曹魏一朝，則這個政權的淵源部份，自不能不追溯至建安年間曹操掌權的時候。

基於以上的原因，筆者認爲要討論曹魏的政制問題，在時間斷限上應上溯至建安元年始，才有較完整的呈現，本書即以此爲討論起點。

---

[14] 鄭欣＜論司馬懿＞，收錄在氏著《魏晉南北朝史探索》，(大陸：山東大學出版社，1989年)，頁319。

第二節　曹操時期的兩個政務機關

要討論曹操時期的政務機關，自有必要對東漢時期的政務機關作一簡介，以方便與曹操時期作比較研究。

關於東漢時期的政務機關，前人研究也多[15]，綜合而論，政務機關除三公外，還有尙書臺，但實際負責政務則爲尙書臺，如《唐六典》＜尙書都省＞稱「光武親總吏職，天下事皆上尚書，與人主參決，乃下三府，尚書令為端揆之官。」[16]光武帝之所以「親總吏職」，正因「光武皇帝慍數世之失權，忿強臣竊命，矯枉過直，政不任下，雖置三公，事歸臺閣，自此以來，三公之職備員而已。」[17]這樣的制度容易隨人主的意向而改變，誠如《中國政治制度史》一書中所言，「尚書臺雖漸發展為政治樞要，但自令以下諸臺官，位卑權重，多用文法小吏，秩次千石之下，於是君主常以侍衛大將軍以下諸臣領尚書

---

[15] 前後有陶希聖編，《中國政治制度史》第二冊，＜秦漢＞，（臺北：啓業書局，1973.10）。周道濟，《漢唐宰相制度》，（台北：大化書局，1978）。沈任遠，《歷代政治制度要略》，（台北：洪範書店，1988）。林劍鳴，《新編秦漢史》，（臺北：五南圖書出版公司，1992），頁 1050-1055。白綱主編，孟祥才著，《中國政治制度通史》第二卷，＜秦漢＞，（北京：人民出版社，1996.12），頁 22。

[16] 《唐六典》，卷 1＜尙書都省＞，（北京：中華書局，1992），頁 6。

[17] 《後漢書》，卷 49＜仲長統傳＞，（台北：鼎文書局，1981），頁 1657。

事、平尚書事、或視尚書事，以參決政務。」[18]書中所說時間約在西漢時，陳啓雲在通論兩漢時則稱「漢世處分文案的權力在『領、錄、典、平』尚書事之手，尚書機關不過替這些官員服務而已。」[19]致使其缺點就如《十七史商榷》中所言「官不論貴賤，惟視其職之閑要，而閑要惟視時主之意向，其制無時不改。」[20]也如同薩孟武所言「母后臨朝，則外戚以大將軍顓國，天子親政，則閹官以中常侍執權。」[21]

因此我們可以將東漢政務機關分兩部份來觀察：一是有其位卻不一定有權，如太傅、太尉、司徒及司空；其二是本無其位卻因特殊情形握有實權，如大將軍、錄尚書事、外戚及宦官等（東漢中期以後即由外戚及宦官輪番執政，外戚多冠大將軍、錄尚書事頭銜）。並以此兩部份爲基礎來探討曹操時期的政務機關。

曹操時期的政務機關及掌管的官員除尚書臺地位不變外，其他諸如太傅、太尉及司徒等，均不見其影響力，

---

[18] 陶希聖編，《中國政治制度史》第二冊，＜秦漢＞，頁 129。
[19] 陳啓雲，＜兩晉三省制度之淵源、特色及其演變＞，《新亞學報》，3：2（1958.2），頁 120。
[20] 王鳴盛，《十七史商榷》，卷 37＜臺閣＞，（台北：大化書局，1984），頁 315-316。
[21] 薩孟武，《中國社會政治史》（一），（台北：三民書局，1988），頁 463。

更甚者有否設置都不能確知；從曹操在建安年間所曾擔任的職官看，實橫跨上段所述的兩種情形。他曾任錄尙書事[22]、司空及丞相[23]，更由於並沒有其他勢力足與其抗衡（因爲宦官在少帝時爲袁紹誅殺，死者二千多人[24]，勢力一時難以恢復，外戚方面也受到曹操嚴密監控，只看獻帝時的外戚伏完及伏皇后爲曹操所殺即知[25]），所以曹操確實是當時的實力擁有者，只是曹操如何掌握當時的政務機關？曹操擔任這些職位後，它們的職掌與權力與東漢時有何不同？造成何種影響，則有待進一步研究。基於以上的情形，以下的討論將集中在錄尙書事、司空、丞相及尙書臺等幾方面。

（一）曹操時期漢廷的尙書臺

---

[22]《三國志》，卷 1<魏書·武帝紀>載「天子假太祖節鉞錄尚書事」，頁 13。

[23]《三國志》，卷 1<魏書·武帝紀>載「天子拜公司空、行車騎將軍」；另外同卷「建安十三年……以公為丞相」，頁 14 及 30。又曹操擔任司空其間，不見有司徒及太尉等的記載，只有《後漢書》，卷 9<獻帝紀>載建安元年「九月，太尉楊彪、司空張喜罷。冬十一月丙戌曹操自為司空，行車騎將軍事」，頁 380。《資治通鑑》，卷 62<漢紀五十四>所記卻多司徒淳于嘉罷，（台北：華世書局，1987），頁 1988。不管如何，自此即再找不到有關繼任太尉及司徒之人選，至建安十三年才有《後漢書》，卷 9<獻帝紀>，頁 385 及《資治通鑑》，卷 65<漢紀 57>，頁 2076，同時記司徒趙溫免。趙溫何時出任則不清楚。

[24]《後漢書》，卷 69<何進傳>，頁 2252。

[25]《後漢書》，卷 10 下<皇后紀>，頁 452-454。《三國志》，卷 1<魏書·武帝紀>，頁 44。

從《三國志》載建安元年曹操爲錄尚書事始[26]，是否可作爲曹操掌握東漢政務機關之開始？因爲漢獻帝自此即掌握在曹操手中，漢朝廷也爲曹操所操縱，由於資料所限，錄尚書事是否一直爲曹操所兼任，不得而知；雖然《漢唐職官制度研究》一書曾提到「曹操在未封魏王之前，一直以司空、丞相等官錄尚書事；封魏王之後，自建尚書台，以取代漢的尚書台，仍把尚書事務控制在手中。」[27]但陳氏並未提出具體証據，証明曹操爲丞相後仍爲錄尚書事，因此這個說法似有不確定性存在。與此同時，曹操對政務機關的掌握，也有了第二步的行動，即任司空一職（錄尚書事本爲加官，並不影響其爲司空一職），其對司空掾屬分曹的調整也是值得我們注意。

爲甚麼說曹操任錄尚書事及司空是對漢廷政務機關的掌握？這可從兩方面去探討，首先是以東漢時期的錄尚書事與曹操擔任的錄尚書事作直接比較，以期能明白兩者之差異；其次則以錄尚書事所掌握的尚書臺作探究。

（1）錄尚書事

[26]《三國志》，卷 1＜魏書‧武帝紀＞載「天子假太祖節鉞錄尚書事」，頁 13。

[27] 陳仲安、王素著，《漢唐職官制度研究》，（北京：中華書局，1993.9），頁 61。

其實關於東漢的錄尙書事一職，歷來討論也多，不外乎有兩種看法，其一是認爲東漢時錄尙書事實居重要之地位，如前引《中國政治制度史》[28]及《漢唐職官制度研究》[29]二書，還有楊樹藩的＜兩漢尙書制度之研究＞一文[30]，他們都認爲東漢的錄尙書事，與西漢的領尙書事在性質與職權方面皆大抵相同；西漢領、平尙書事之職權，在《中國政治制度史》一書中已說得很明白，「其權位重者領之則實總朝政」[31]，雖然他們也同樣認爲西漢時的領、平尙書事，在地位上有所不同，如楊樹藩認爲「平尚書事者，不過是核閱尚書之奏事，仍不能參決國家之機要，有資格參決國家的機要，那是『領尚書事』」[32]；然而他們共同的看法是兩者都能預聞朝政，這方面甚至延續到東漢時期，如楊氏續說「加銜『錄尚書事』就成為參與樞要之重臣」。所以東漢的錄尙書事實爲掌握朝政之重要官員。

另一看法則剛好與此相反，認東漢的錄尙書事變爲外朝大臣，逐漸與皇室疏遠，權力不如西漢時期，如林劍鳴在《新編秦漢史》一書中即對楊氏說法提出異議，

---

[28] 陶希聖編，《中國政治制度史》，＜秦漢＞，頁 162-164。
[29] 陳仲安、王素著，《漢唐職官制度研究》，頁 61。
[30] 楊樹藩，＜兩漢尙書制度之研究＞，《大陸雜誌》，23：3(1961.8)，頁 5。
[31] 陶希聖編，《中國政治制度史》，＜秦漢＞，頁 163。
[32] 楊樹藩，＜兩漢尙書制度之研究＞，頁 10。

認爲「這種說法忽視了制度與貫徹、執行制度的人之間的區別。」[33]，又如前引陳啓雲氏，及陳琳國的《魏晉南北朝政治制度研究》一書[34]，皆持相同的看法，拙著＜兩漢尙書臺之研究＞一文[35]也指出在宣帝時領、平尙書事之職權已爲中書宦者所奪，至成帝雖罷中書，領尙書事重掌朝政，但真正能掌握朝政者實爲外戚，最後則爲王莽以外戚領錄尙書事篡漢；至東漢錄尙書事之職權更不及西漢，一因人主之防範，二因外戚及宦者相繼把持弄權，至其權力被奪。所以筆者認爲西漢成帝以後至東漢，真正掌權者實爲外戚、君主及宦者。

東漢的錄尙書事，真能掌握實權者似乎只有幾名，一爲梁冀。《後漢書》＜梁冀傳＞載「及（順）帝崩，沖帝始在繈褓，太后臨朝，詔冀與太傅趙峻、太尉李固參祿尚書事。」[36]他能掌握實權，卻又是因爲他的外戚身份，「兩妹為順桓二帝皇后，冀代父商為大將軍，再世權戚，威振天下。」[37]他以大將軍錄尙書事而行擁立之事，《後

---

[33] 林劍鳴，《新編秦漢史》，頁 1091。
[34] 陳琳國，《魏晉南北朝政治制度研究》，（臺北：文津出版社，1994.3），頁 9-10。
[35] 黃熾霖，＜兩漢尙書臺之研究＞，《花蓮師院學報》，7（1997.6），頁 315-344。
[36]《後漢書》，卷 34＜梁冀傳＞，頁 1179。
[37]《後漢書》，卷 78＜宦者單超傳＞，頁 2520。卷 6＜質帝紀＞，頁 282。

漢書》＜質帝紀＞云「及沖帝崩，皇太后與冀定策禁中」[38]，甚至鴆殺質帝改立桓帝。

其二則爲靈帝時的竇武，《後漢書》＜靈帝紀＞載「建寧元年春正月壬午，城門校尉竇武為大將軍……以前太尉陳蕃為太傅，與竇武及司徒胡廣參錄尚書事。」[39]竇武之得勢，也是由於他外戚的身份，＜靈帝紀＞云「桓帝崩，無子，皇太后與父城門校尉竇武定策禁中。」[40]決定靈帝之繼位，自後且「常居禁中」[41]，當可見其影響力。

第三位則是何進，《後漢書》＜靈帝紀＞載靈帝崩「皇子辯即皇帝位……後將軍袁隗為太傅，與大將軍何進參錄尚書事。」[42]同書＜何進傳＞載宦者蹇碩稱「大將軍兄弟秉國尊朝…」[43]云云，可見其對朝廷的影響力；同樣的，何進也是外戚，「異母女弟選入掖庭為貴人，有寵於靈帝……立為皇后，徵進入，拜侍中……」[44]，不過竇武及何進，在《後漢書》的記載中，已不見如梁冀所載之權傾天下，而且三人的下場都是一樣，皆被宦官所殺，

---

[38] 《後漢書》，卷 6<質帝紀>，頁 276。
[39] 《後漢書》，卷 8<靈帝紀>，頁 328。
[40] 同前註，頁 327。
[41] 《後漢書》，卷 69<竇武傳>，頁 2241。
[42] 《後漢書》，卷 8<靈帝紀>，頁 357。
[43] 《後漢書》，卷 69<何進傳>，頁 2248。
[44] 同前註，頁 2246。

單起誅梁冀、曹節誅竇武及張讓殺何進，宦官則成為另一權力擁有者。

前面三人有一些共同特徵，如外戚身份、又都以大將軍錄尚書事等，這些都值得重視，至漢末獻帝時尚有王允及曹操二人擔任錄尚書事，《後漢書》<獻帝紀>載初平三年「司徒王允錄尚書事，總朝政。」[45]王允的情形較特殊，其時宦官已被董卓誅殺殆盡，王允以司徒守尚書令得到董卓的依重[46]，更能聯絡呂布等誅殺董卓，但最後卻因個性及未能妥善處理董卓的部屬而被殺[47]，（曹操的情形下有論述）可見錄尚書事並不必然具有實權，但擁有實權者卻又多加此一頭銜（宦官除外）[48]。

然而前述兩種對錄尚書事的說法，各有其道理，如梁冀、竇武及何進，確實有錄尚書事頭銜而又握有實權，所以我們是否可以把東漢錄尚書事一職分為前後兩期來

---

[45] 《後漢書》，卷 9<獻帝紀>，頁 372。

[46] 《後漢書》，卷 66<王允傳>載「時董卓尚留洛陽，朝政大小，悉委之於允。允矯情屈意，每相承附，卓亦推心，不生乖疑，故得扶持王室於危亂之中，臣主內外，莫不倚恃焉。」其中董卓之所以依重王允，同卷載正因「允悉收斂蘭臺、石室圖書秘緯要者以從。既至長安，皆分別條上。又集漢朝舊事所當施用者，一皆奏之。經籍具存，允有力焉。」頁 2174-2175。

[47] 《後漢書》，卷 66<王允傳>，頁 2176。

[48] 東漢其他具錄尚書事頭銜者（參附表二：獻帝初平至建安元年錄尚書事一覽表），在史料中並未見有如上述五人之影響力。

看待，約略以和、安二帝爲分界，前期的時候就如陳啓雲先生所說錄尙書事實已疏外[49]，後期卻如林劍鳴所說「東漢末年以『錄尚書事』之頭銜而參與樞機甚至操縱朝政的權臣出現，實為當時政治腐敗、皇權旁落的結果，與東漢初年制定政治制度的劉秀之初衷是背道而馳的。」[50]東漢末以錄尙書事參與樞機及操縱朝政者，即前述之梁冀等人；可是就統計的資料看（參附表一：東漢錄尙書事一覽表），除王允及曹操外，三個有權勢的錄尙書事都是以大將軍頭銜領錄尙書事，問題變成到底是大將軍重要還是錄尙書事重要，可能對此點見解不同，才造成對錄尙書事一職權重權輕的相異看法，只是我們更應注意的是他們三個皆爲外戚，身份也許才是決定權力大小的真正原因，而非職位。

所以曹操擔任此職是有異於前期已成疏外的錄尙書事，而較貼近後期擁有權勢的錄尙書事，只是也還有不相類的地方，因此筆者認爲曹操任錄尙書事一職，實代表此一制度的重要改變。

---

[49] 陳啓雲，<兩晉三省制度之淵源、特色及其演變>雖然陳氏認爲整個東漢時期都呈現疏外的情形，甚至認爲竇武的權勢在任錄尙書事前已掌握，跟錄尙書事一職無關，與這裡所說的前後期似有不同。但如前引資料中實無法証明梁冀及何進任錄尙書事的時間，即不能明確分辨其權力是基於外戚的身份或擔任錄尙書事之後取得。頁 112。

[50] 林劍鳴，《新編秦漢史》，頁 1091。

首先，就任用資格而言，我們如果對獻帝即位至曹操時，授與錄尚書事之情況作一統計，似乎可以看到這是一個特別的情況（參附表二：獻帝初平至建安元年錄尚書事一覽表），表中除曹操外，其他皆以三公錄尚書事（馬日磾以太傅之尊，地位猶高於三公）如果以整個東漢皇朝的情形觀之，則更能見其不同之處（參附表一：東漢錄尚書事一覽表），曹操但以領司隸校尉錄尚書事[51]，這本身就是一個重大的改變；雖然我們不會忘記在建安年間，在曹操迎獻帝於安邑及還都洛陽之前，獻帝及漢朝廷之處境，曹操維護漢朝於不墜者實靠武力，而以司隸校尉一職授與似實爲現實所需要之措置[52]；但畢竟與東漢的慣例不合，所以不久即改拜曹操爲司空，雖然其後是否仍兼領錄尚書事則因資料所限，無從証明，但並不影響曹操對此制度改變所代表的意義。

其次，就與東漢末期的權臣相比較，曹操也自有不同。前述梁冀對朝政具有影響力者，皆以外戚身份，曹操則以自身武力作爲後盾，得到權位；王允同樣以非外戚身份任錄尚書事，但他的權力來源是董卓賦與的，因此難免一死；曹操則無此憂，因此得以一直掌權。由此我們又看出制度受人事變遷之影響，職位雖一，但任職

[51] 《三國志》，卷 1<魏志・武帝紀>，頁 13。
[52] 《續百官志》，志 27<百官四>載「司隸校尉……掌察舉百官以下，及京師近郡犯法者。」頁 3613。

者之身份、權力來源不同，卻會對同一職位的權力職掌帶來變化。

（2）尙書臺

錄尙書事一職之所以重要，在於掌握了尙書臺，而尙書臺在當時的重要性不減建安以前，試看前引王允即因熟悉尙書臺事務而爲董卓所重用，可見董卓時尙書臺仍具有重要性。至曹操時尙書臺之地位如何？就目前看到的資料顯示，尙書臺的重要性仍有不能被取代之地位；如尙書令荀彧，雖然早在初平二年荀彧初從曹操之際，操即以之比擬張良[53]，至曹操奉天子都許，操即以之爲「**侍中守尚書令，居中持重，太祖雖征伐在外，軍國事皆與彧謀**」，所以《三國志》＜劉劭傳＞注云「**漢帝在許，尚書令荀彧領典樞機。**」[54]荀彧從建安元年至建安十七年改任參丞相軍事後去世，其間扮演襄助曹操處理軍國大政的角色，從克呂布、定徐州、敗袁紹、征劉表等，甚至對朝廷重大爭議，荀彧也有決斷的權力，如建安中太史上言云日蝕，宜廢朝或卻會，爭論不休，最後荀彧「**敕朝會如舊**」[55]，正可見荀彧確實對朝政有重大影響力。

---

[53] 《三國志》，卷 10＜魏書．荀彧傳＞，頁 308。
[54] 《三國志》，卷 21＜魏書．劉劭傳＞，頁 620。
[55] 《三國志》，卷 21＜魏書．劉劭傳＞，頁 617。

荀彧雖有如此重大權力，但也只是曹操的助手而已，如《三國志》＜魏書荀彧傳＞注引《彧別傳》稱「太祖與彧書曰『與君共事已來，立朝廷，君之相為匡弼，君之相為舉人，君之相為建言，君之相為密謀，亦以多矣。』」[56]另外司馬光在《資治通鑑》中即稱「荀彧佐魏武而興之，舉賢用能，訓卒厲兵，決機發策，征伐四克，遂能以弱為強，化亂為治。」[57]正如前面所說，雖然沒有証據証明曹操繼續擔任錄尚書事一職，但從這些資料應可証明曹操確實掌握尚書臺的事務，建安年間漢廷的尚書令荀彧已成為幫助曹操處理政務的重要角色，也等於曹操掌握了全國政務。

（二）曹操建立魏國尚書臺

要明白曹操在建安十八年所建立的魏國尚書臺，可能要從曹操擔任司空及丞相兩個職務說起。就時間上來說，曹操擔任司空與錄尚書事是重疊的（假定曹操一直領有錄尚書事的職銜），更在建安十三年時為丞相，這兩個職位在曹操擔任後有何改變？

《三國志》＜魏書武帝紀＞載「天子拜公（曹操）

---

[56] 《三國志》，卷 10＜魏書・荀彧傳＞，頁 315。
[57] 司馬光，《資治通鑑》，頁 2116。

司空，行車騎將軍。」[58]司空爲三公之一，三公制雖正式成型於東漢[59]，但東漢時三公並沒有實際權力，前引仲長統就曾有言：「三公之職，備員而已。」[60]當然以曹操任此職，絕不會是備員而已，問題是曹操任此職後有何改變？我們相信曹操是利用此職位以掌握或擴充其權力，方法則是透過司空及丞相的掾屬以成就此目的。

先討論司空的問題，試看在《續百官志》所載東漢時司空之掾屬，與曹操時期作一對比，即可見其差異，《續百官志》載「長史一人，掾屬二十九人，令史及御屬四十二人。」[61]然而據《三國職官表》[62]及《三國志》中片斷的資料，我們可以發現曹操任司空時，其掾屬即有「軍師祭酒、軍師長史、留府長史、軍司馬、主簿、參軍」等各職（參附表三：建安元年至十三年司空掾屬一覽表）。更甚者爲《三國職官表》載司空掾屬時，都有「太祖時置」一語，可見曹操對司空掾屬確實作了一定程度的改變。[63]

---

[58] 同前註。
[59] 陳仲安、王素，《漢唐職官制度研究》，頁 6。
[60] 《後漢書》，卷 49<仲長統傳>，頁 1657。
[61] 《續百官志》，志 24<百官一>，頁 3562
[62] 洪飴孫，《三國職官表》，收錄在《二十五史補編》（北京：中華書局，1986），頁 2131-2777。
[63] 《續百官志》，志 24<百官一>並沒有記載司空分曹及掾屬的名稱，頁 3561-3562；雖然周道濟在《漢唐宰相制度》一書中考據了東漢時三公中太尉府的掾屬及分曹情形，並認爲「從法制上觀之，

但這裡有一個問題需要解答，我們可以看到司空掾屬中有軍隊的職銜，即曹操時司空掾屬中有軍職，這樣的掾屬組織與《續百官志》所載東漢時期的司空掾屬不同，如軍師祭酒、參軍等，並以此職而參與軍事活動，如《三國志》＜魏書荀彧傳＞載「太祖表封攸曰：『軍師荀攸，自初佐臣，無征不從，前後克敵，皆攸之謀。』」[64]關於這部份可能有一個疑問，即此種軍職隸屬於司空嗎？曹操爲司空時，尚有「行車騎將軍」之職銜，是否因爲這樣才有屬於曹操的軍職？即軍職之由來是因爲車騎將軍而不是司空；不過根據以下的理由，我們暫時仍把它們歸屬於司空的屬官中。

第一，根據《續百官志》及《通典》等書的記載，並未見車騎將軍有此等屬官的名稱；雖然《三國志》＜魏書陶謙傳＞載陶謙「參車騎將軍張溫軍事」[65]，似乎車騎將軍屬官有參軍事一職，但參閱《後漢書》相關記載，這資料還有值得商榷的餘地[66]，故暫不列入車騎將軍掾屬，而以司空掾屬視之；其次，史料所顯示的名稱，很

三府（太尉、司徒及司空）同分曹辨事，乃理所當然。」不過這裡仍有值得注意之處，第一，曹操也可歸屬於東漢，即曹操的變改，在時間的斷限上可歸入東漢時期；第二，周道濟所言太尉府之曹目其職權仍有與曹操時期不同。

[64] 《三國志》，卷 10＜魏書．荀彧傳＞，頁 324。

[65] 《三國志》，卷 8＜魏書．陶謙傳＞，頁 247。

[66]《後漢書》，卷 73＜陶謙傳＞載陶謙爲「車騎將軍張溫司馬」，並非參軍事，因此陶謙究爲參軍事或司馬尚不能確定，頁 2366。

多都以司空兩字爲首，這是否能代表其官職的整體名稱，如《三國志》<魏書徐幹傳>載「太祖並以琳瑀為司空軍謀祭酒。」[67]因爲同書<裴潛傳>注引《魏略》<韓宣傳>載「韓宣……建安中，丞相召署軍謀掾……問宣何官？宣云『丞相軍謀掾也』」[68]。雖然這裡所說是丞相屬官，應可與司空等量觀之，同時對後面討論丞相屬官也有幫助，因爲這樣的稱呼，我們暫時把它看作一整體的官職對待，所以把它歸爲司空或丞相的掾屬；基於以上的原因，就《三國職官表》所列司空及丞相之屬官中，屬於軍職者除司空的軍師，丞相的軍師及前、左、右、中等軍師、行軍司馬外[69]，餘皆可以找到以司空或丞相二字爲首的軍職，因此暫時把這些屬官放在司空及丞相的屬官中作研究資料，若日後另有新資料証明，將再作檢討。

以上是針對司空的組織而言，至於職權方面也有所

---

[67] 其他《三國志》中尚有相同情況，如卷 13<魏書・王朗傳>載「參司空軍事」，頁 407；卷 14<魏書・郭嘉傳>載「參司空軍祭酒」，頁 431，卷 21<魏書・王粲傳>載「（徐）幹為司空軍謀祭酒掾屬」、「（陳）琳、（阮）瑀為司空軍謀祭酒」，頁 599-600；卷 24<魏書・孫禮傳>載「召為司空軍謀掾」，頁 691 等。

[68] 《三國志》，卷 23<魏書・裴潛傳>，頁 675。

[69] 軍師祭酒的情形較特殊，據《三國志集解》，卷 1<魏書・武帝紀>，（北京：中華書局，1982）盧弼稱軍師祭酒、軍謀祭酒及軍祭酒，皆「軍師祭酒……太祖為漢司空時置，或稱軍祭酒、或稱軍謀祭酒，皆避晉諱也。」，頁 20。

改變，據《續百官志》載，司空在東漢是「掌水土事」[70]，自曹操起既有軍職自當與戰爭有關，因此我們可以看到很多有關軍事的情況，司空掾屬皆有參與，如《三國志》＜郭嘉傳＞載曹操打敗呂布就是由於郭嘉在重要時刻的獻策所致[71]，同書＜賈詡傳＞載官渡一戰，參司空軍事的賈詡獻策是能戰勝原因之一[72]，另外尚有督軍的職權，同書＜魏書曹純傳＞載「純以議郎參司空軍事，督虎豹騎從圍南皮。」[73]；其次，司空的東曹又負責選舉，如《三國志》＜魏書毛玠傳＞載「太祖為司空丞相，玠嘗為東曹掾，與崔琰並典選舉，其所舉用，皆清正之士。」[74]這個職權有值得我們注意之處，後面還要論及，不過也因此益可見東曹之職權與以前不盡相同[75]。最後尚有包括建言[76]、總理庶務的工作[77]，皆爲司空掾屬之範圍。要之司

---

[70] 同前註，又載「掌水土事。凡營城起邑、浚溝洫、修墳防之事，則議其利，建並功。凡四方水土功課，歲盡奏其殿最而行賞罰。凡郊祀之事，掌掃除樂器，大喪則掌將校復土。」

[71]《三國志》，卷 14＜魏書·郭嘉傳＞載嘉爲司空軍祭酒，頁 431-432。

[72]《三國志》，卷 10＜魏書 · 賈詡傳＞，頁 330。

[73]《三國志》，卷 9＜魏書 · 曹純傳＞，頁 276。

[74]《三國志》，卷 12＜魏書 · 毛玠傳＞，頁 375。

[75] 前引周道濟一書所記「太尉府之東曹為主二千石長史遷除及軍吏。」司空是否如周道濟所言分曹與太尉相同，實不得而知，縱然相同，東曹的職權與曹操時是否相同也不能確知。

[76]《三國志》，卷 14＜魏書 · 董昭傳＞載昭建議立古封建五等爵制，太祖即因此受魏公、魏王之號，頁 439-440。

[77]《三國志》，卷 11＜魏書 · 國淵傳＞載國淵爲「司空掾屬……以淵為留府長史，統留事。」頁 339。

空掾屬已成曹操重要幕僚則應是事實。

其次，司空掾屬的遷轉，據統計資料的結果，可以分爲兩部份，一是直接轉任丞相掾屬（參附表四司空掾屬遷轉一覽表），計有陳琳、阮瑀、路粹、荀攸、薛悌、王朗、毛玠、劉曄、徐奕及邴原等，佔全部 37 人中的 10 人，爲百分之 27.02；另一部份則轉任地方官員，統計 37 人中有 17 人佔 45.94% ，包括國淵、劉放、趙儼、陳群、梁習、王思、涼茂、陳矯、司馬朗、何夔、邢顒、徐宣、王脩、杜畿、孫禮、鄭渾及衛覬等，接近半數；另外，從地方官員再轉任丞相掾屬者，則 17 人中有 8 人佔 47.05% ，包括趙儼、涼茂、陳矯、司馬朗、何夔、邢顒、徐宣及鄭渾，若合併與直接轉任丞相掾屬的 10 人來看，即總數有 18 人最後轉任丞相掾屬，爲 48.64% 接近半數；更重要的是還有四人轉任魏國公卿，他們是荀攸、國淵、毛玠及王脩；即從司空掾屬轉任至丞相掾屬及魏國公卿是所有 37 人中的 22 人，佔 59.45% ，這些資料是否可以証明司空掾屬即爲曹操重要的領導班底？這裡尚有更值得注意的地方，即在轉任地方的情形看，是否意味著曹操擴大其影響力及對地方掌控的開始？

袁紹卒，袁家勢力瓦解，北方再沒有可與曹操匹敵之對手，《三國志》＜魏書武帝紀＞載曹操遂於建安十三年「**漢罷三公官，置丞相御史大夫，夏六月以公為丞相**」

[78]。問題是曹操擔任丞相的意義又是甚麼？因爲在此之前，雖云有三公之官，實則只有司空曹操，並未見司徒及太尉的記載[79]，但是否真的沒有，似也不能肯定，更重要者《三國志》<魏書劉馥傳>載建安初劉馥見曹操，「太祖悅之，司徒辟為掾。」[80]曹操時爲司空，司徒應另有其人，則似應有此職官；不過不管如何，影響也不至太大，因爲曹操才是朝政的掌控者。他擔任丞相後，丞相一職又有何改變？萬繩楠一書曾提及曹操改官制之目的，在建立以丞相爲首的外朝台閣制，消除了中央權移外戚、宦官，地方權移州牧的弊端[81]。但爲何要以丞相之名爲之？是否因爲東漢丞相的權力不及西漢，且不止一人[82]，

---

[78] 《三國志》，卷 1<魏書．武帝紀>，頁 30。

[79] 《三國志》，卷 1<魏書．武帝紀>載「天子拜公司空、行車騎將軍」；另外同卷「建安十三年……以公為丞相」，頁 14，30。又曹操擔任司空其間，不見有司徒及太尉等的記載，只有《後漢書》，卷 9<獻帝紀>載建安元年「九月，太尉楊彪、司空張喜罷。冬十一月丙戌曹操自為司空，行車騎將軍事」，頁 380。《資治通鑑》，卷 62<漢紀五十四>所記卻多司徒淳于嘉罷，（台北：華世書局，1987），頁 1988。不管如何，自此即再找不到有關繼任太尉及司徒之人選，至建安十三年才有《後漢書》，卷 9<獻帝紀>，頁 385 及《資治通鑑》，卷 65<漢紀 57>，頁 2076，同時記司徒趙溫免。趙溫何時出任則不清楚。

[80] 《三國志》，卷 15<魏書．劉馥傳>，頁 463。

[81] 萬繩楠，《魏晉南北朝史論稿》，（臺北：雲龍出版社，1994），頁 23。

[82] 《通典》，卷 21<職官三>（北京：中華書局，1988）宰相條載「後漢廢丞相及御史大夫，而以三公綜理眾務，則三公復為宰相矣。」頁 537。

所以曹操希望掌握名正言順之地位，以求更方便獨攬朝政，《三國志集解》＜魏書武帝紀＞注引胡三省曰「**今雖復置丞相御史，而操自為丞相，事權出於一矣**」[83]。

另一方面曹操更透過擔任丞相一職再擴大其權力基礎，這方面則要藉改變丞相的組織與職權以達成。曹操沿著改變司空掾屬的方法，把丞相組織作更大規模之擴張，隨著組織之擴大，權力也相對的大幅提高；有關兩漢丞相職權，周道濟在＜西漢君權與相權之關係＞及＜漢代宰相機關＞[84]兩篇研究報告中，已明白告訴我們西漢丞相爲全國最高政治中心[85]，但曹操爲丞相時，其權力似有比西漢更大者，從洪飴孫的《三國職官表》已可看出曹操丞相府之官屬（參附表五建安十三年及其後的丞相掾屬一覽表）[86]，比司空的規模更大，而丞相府組織之擴大，終於演變成如陳長琦所言「**權力結構呈現了形式權力中心與實際權力中心的雙重構建……漢帝為首的權力中心徒有其表，而實際的權力中心則轉到曹操的權力班**

[83] 《三國志集解》，卷 1＜魏書・武帝紀＞，頁 35。

[84] 周道濟，＜西漢君權與相權之關係＞，《大陸雜誌》11：12（1955.12）及＜漢代宰相機關＞，《大陸雜誌》19：11（1959.12）。

[85] 據周道濟＜漢代宰相機關＞一文考証西漢丞相府各曹包括東曹、西曹、議曹、辭曹、奏曹、賊曹、決曹、集曹、侍曹、戶曹、法曹、尉曹、兵曹、金曹、倉曹十五個。

[86] 《三國職官表》的記載可能尚有缺漏，因爲《三國志》，卷 24＜魏書・韓暨傳＞載「**太祖平荊州，辟（韓暨）為丞相士曹屬。**」，頁 677。士曹即不見於《三國職官表》。

子手中。」[87]。這個領導班子，可以說是由原司空掾屬再擴大而成，並成爲曹操的權力基礎，以下再進一步分析。

首先在職權或對政務的影響上，丞相掾屬佔有舉足輕重的份量，如《三國志》＜魏書張範傳＞載「（張）範……為議郎，參丞相軍事，甚見敬重。太祖征伐，常令範及邴原留，與世子居守。太祖謂文帝：『舉動必諮二人』。」[88]邴原時爲丞相徵事[89]；其次，職權除原有之選舉[90]、建言[91]及總理庶務外[92]，內容似乎比司空時更多，如對刑法的處理權，《三國志》＜魏書高柔傳＞載高柔因「處法允當，獄無留滯，辟為丞相倉曹屬。」後又「轉拜丞相理曹掾」，對刑法及案例多所匡正[93]。

---

[87] 陳長琦，《兩晉南朝政治史稿》，（河南：河南大學出版社，1992年），頁 53。

[88] 《三國志》，卷 11＜魏書張範傳＞，頁 337-338。

[89] 《三國志》，卷 11＜魏書邴原傳＞，頁 351。

[90] 《三國志》，卷 12＜魏書．毛玠傳＞載毛玠爲「東曹掾，與崔琰並典選舉。」頁 375。

[91] 《三國志》，卷 23＜魏書．和洽傳＞載和洽對朝廷當時儉節風氣提出說法即一例証，頁 655-656。

[92] 《三國志》，卷 19＜魏書．陳思王植傳＞注引《典略》稱楊脩，「丞相請署倉曹屬主簿。是時軍國多事，脩總知內外，事皆稱意。」頁 558。

[93] 《三國志》，卷 24＜魏書．高柔傳＞雖然丞相倉曹屬與理曹掾之職權不明，及是否同一職位也不清楚，但有權處理對刑獄則似乎相同，頁 683。

其次就掾屬的遷轉上，似乎也更有值得我們注意的地方，這也是前面不厭其煩的論証原因之一，目的即在証明曹操在爲司空始，即進行建立自己領導架構的準備，前已論及，從統計的資料看，司空掾屬的升轉主要有兩方面，一爲丞相掾屬，一爲地方官員，而總共從司空掾屬轉任丞相掾屬是 37 人中的 18 人，佔 48.64% 接近半數，這個比例不可謂不大。

另外就丞相掾屬的升轉上，丞相掾屬轉爲魏國公卿的情形似乎更爲普遍，在找到的全部丞相掾屬有 93 人，直接轉任魏國公卿有 23 人佔 24.73% ，包括袁渙、王朗、杜襲、王粲、李義、荀攸、鍾繇、涼茂、毛玠、華歆、司馬懿、徐奕、國淵、何夔、程昱、陳群、崔琰、盧毓、常林、徐邈、高柔、和洽及崔林；轉任地方官員則有 25 人佔 26.88% ，包括張承、陳矯、徐奕、賈逵、司馬朗、令狐劭、溫恢、桓階、趙儼、何夔、邢顒、裴潛、徐宣、徐邈、高柔、賈洪、田豫、韓暨、鄭渾、楊俊及王觀[94]（參附表六：丞相掾屬遷轉一覽表），如以司空掾屬擔任地方官員的總體情形看，司空掾屬任刺史 2 人佔 5.40% ，太守 5 人佔 13.51% ，縣令 9 人佔 24.32% ，司空掾屬轉任基層地方官－－縣令爲多；丞相掾屬在比例上似有不同，丞

---

[94] 有些人重複出任不同地方的地方官，如徐奕前後擔任雍州刺史及魏郡太守，裴潛先後出任三縣令、代郡太守及沛國相；鄭渾則先後任左馮翊、沛郡太守。

相掾屬任刺史者 4 人佔 4.30% ，太守 14 人佔 15.05% ，縣令 6 人佔 6.45% ，似乎丞相掾屬轉任太守爲多；另外，司空掾屬時擔任縣令 9 人中有 6 人在轉任丞相後，升轉爲太守及刺史，包括鄭渾、徐宣、趙儼、何夔、邢顒及司馬朗；從以上的統計資料，是否可証明丞相掾屬應是曹操重要的人才培育中心？

不過更重要的發展，應該是建安十八年曹操爲魏公，同時在魏國可自置官屬始，《三國志》<魏書武帝紀>載建安十八年策命曹操爲魏公，「十一月，初置尚書、侍中、六卿」，同卷注引《魏氏春秋》稱「以荀攸為尚書令，涼茂為尚書僕射，毛玠、崔琰、常林、徐奕、何夔為尚書，王粲、杜襲、衛覬、和洽為侍中。」[95]，其中最重要可說是魏國尙書臺的建立，曹操設置魏國自己的尙書臺，其地位如何？對漢廷原有的尙書臺作何處置？兩者的權力運作如何維持？這都有進一步探討的必要。

要處理以上的問題，首要解答的是魏國自建尙書臺後漢廷的尙書臺是否繼續存在的問題；從荀彧在建安十七年去世後，有華歆繼爲漢尙書令的記載，《三國志》<魏書華歆傳>載華歆「代荀彧為尚書令」，但旋即轉任曹

---

[95] 《三國志》，卷 1<魏書．武帝紀>，頁 42。

操的軍師[96]，自後有關漢廷尚書臺的資料很少[97]，只有在魏文帝篡漢時，獻帝冊詔魏王書中有「今遣守尚書令侍中（顗）【覬】喻」[98]的記載，獻帝命守尚書令侍中覬喻曹丕即位，與此同時又有魏尚書令桓階上奏曹丕[99]，似乎可以証明文帝篡漢前，漢廷的尚書臺還是存在的，只是其職權是否尚在運作，則因資料所限，無法証明。不過《三國志》＜魏書王肅傳＞注引《魏略》的一段記載，可能讓我們稍爲了解其時許都朝廷的整體狀況，《魏略》載「至（建安）二十二年，許中百官矯制，（董）遇雖不與謀，猶被錄詣鄴，轉為冗散。」[100]從這段記載可見許都朝廷的地位，連處罰漢廷官員都要由居於鄴的曹操決定，則兩者的差別可見。

至於魏國的尚書臺，首要解決的問題是對於相關史

[96] 《三國志》，卷 13＜魏書．華歆傳＞，記「太祖征孫權，表歆為軍師」，頁 403；考曹操征孫權在建安十七年，參《三國志》，卷 1＜魏書．武帝紀＞，頁 36-37。

[97] 《三國志》，卷 21＜魏書．衛覬傳＞注引《文章志》稱潘勖「獻帝時為尚書郎，遷右丞……二十年，遷東海相。未發，留拜尚書左丞……魏公九錫策命，勖所作也。」頁 613。這條資料由於時間不明確，不能確定爲漢廷尚書或魏國。

[98] 《三國志》，卷 2＜魏書．文帝紀＞，頁 74。同時衛覬當時應在漢廷，《三國志》，卷 21＜魏書．衛覬傳＞載「文帝即王位，徙為尚書。頃之，還漢朝為侍郎，勸贊禪代之義，為文誥之詔。」頁 610-611。

[99] 桓階爲魏尚書令，可參《三國志》，卷 22＜魏書．桓階傳＞，頁 632。

[100] 《三國志》，卷 13＜魏書．王肅傳＞，頁 420。

料的記載，如何論斷其所記爲魏國尚書臺？除前引建安十八年魏國置官屬的資料外，《三國志》<魏書荀彧傳>注引《彧別傳》稱「荀攸後為魏尚書令」[101]，另據同書<荀攸傳>載荀攸「魏國初建，為尚書令」[102]，據此我們試圖以此作爲標準，即以「魏國初建」等相關字樣，作爲收集魏國尚書臺相關資料的準則，由此我們可以看到魏國尚書臺的組織不斷充實，除尚書令外，尚有尚書僕射、尚書、吏部郎及尚書郎等名稱[103]。

另外魏國的尚書臺與丞相掾屬的關係如何？首先他們之間的升轉似乎是有互聯的關係存在，如《三國志》<魏書高柔傳>載高柔「魏國初建，為尚書郎。轉拜丞相理曹掾」可証[104]。同時前面的統計資料中已說從丞相掾屬轉爲魏國公卿在 93 人中有 23 人佔 24.73% ，這 23 人中有 11 人爲尚書臺職官，佔 47.82% ，包括李義、荀攸、涼茂、毛玠、徐奕、何夔、崔琰、盧毓、常林、徐邈及高柔；即接近半數的人直接轉任魏國尚書臺，尚書

---

[101] 《三國志》，卷 10<魏書．荀彧傳>，頁 318。

[102] 《三國志》，卷 10<魏書．荀攸傳>，頁 324。

[103] 《三國志》，卷 11<魏書．涼茂傳>載「魏國初建，遷尚書僕射」，頁 338。《三國志》，卷 12<魏書．崔琰傳>載「魏國初建，拜尚書。」頁 368。《三國志》，卷 22<魏書．盧毓傳>載「魏國既建，為吏部郎」，頁 651。及《三國志》，卷 24<魏書．高柔傳>載「魏國初建，為尚書郎」，頁 683。

[104] 《三國志》，卷 24<魏書．高柔傳>載「魏國初建，為尚書郎」，頁 683。

臺的重要性可知。

（三）、兩個尚書臺的關係

前面一直有一個觀點，即認爲曹操在利用擴張司空及丞相掾屬的機會，以建立屬於自己的領導班底，並作爲篡漢的準備，如果我們以魏國建安十八年至廿四年間所任用之官員作爲研究，則發現一個有趣的情形，即魏國公卿，絕大部份都從司空及丞相掾屬中躍拔（參附表七：建安十八年至廿四年任職魏國公卿一覽表），而這些公卿又繼任至曹丕篡漢後， 基於此我們是否可視魏國公卿實爲曹操爲篡漢而準備之過渡政府，這個過渡政府更可以說是曹操爲司空時，以自置掾屬的機會，不斷擴充而成。不過這裡還牽涉一些問題有待解決，第一個是魏國屬王國之地位，曹操對王國之組織作如何之調整？第二是兩個尚書臺在職權上如何安排？第三個問題是魏國的官屬與漢朝廷之關係如何？是從屬或並行？權力如何分配？

曹操爲魏公後仍兼領丞相及自置官屬，這是可以肯定的，因爲《三國志》＜魏書武帝紀＞載獻帝策命曹操的詔書中有「其以丞相領冀州如故」及「魏國置丞相已下群卿百寮」[105]的字句，也就是曹操仍透過丞相一職繼

[105] 《三國志》，卷 1＜魏書．武帝紀＞，頁 39。

續掌握漢朝廷；同時曹操也於「十一月初置尚書侍中六卿」[106]，《三國志集解》<魏書武帝紀>注引趙一清曰「此魏國之官，故日初置。」[107]也就是說曹操繼續以丞相一職，掌握漢廷的政務機關，另一方面又發展其王國的政治架構，從此時起魏國也就正式開始組織其王國領導層，《三國志》<魏書武帝紀>引《魏氏春秋》曰「以荀攸為尚書令，梁茂為僕射，毛玠、崔琰、常林、徐奕、何夔為尚書，王粲、杜襲、衛覬、和洽為侍中。」[108]《資治通鑑》除記前述之職官外，還有「鍾繇為大理、王脩為大司農、袁渙為郎中令行御史大夫事、陳群為御史中丞。」[109]另外《三國志》<武帝紀>建安二十二年注引魏書曰「初置衛尉官。」[110]《三國志集解》注稱「衛尉，見建安十三年注，趙一清日合前歲所置二卿，於是九卿官備。」[111]（萬斯同在<魏國將相大臣年表>中有詳細列）；此魏王國的規模如何？如能與前此之王國作一對比，相信更有助於了解此問題。

在前引《中國政治制度史》一書中有言「高祖時期……王國大者夸州兼郡，連城數十，官名政制，宮室

---

106 同前註，頁 42。
107 《三國志集解》，卷 1<魏書．武帝紀>，頁 51。
108 《三國志》，卷 1<魏書．武帝紀>引《魏氏春秋》，頁 42。
109 《資治通鑑》，卷 66<漢紀五十八>，頁 2124。
110 《三國志》，卷 1<魏書．武帝紀>，頁 49。
111 《三國志集解》，卷 1<魏書．武帝紀>，頁 60。

車服，均與中央無異，遂成尾大不掉之勢。」[112]所以《漢書》＜百官表＞記「諸侯王，高帝初置，金璽盭綬，掌治其國。有太傅輔王，內史治國民，中尉掌武職，丞相統眾官，群卿大夫都官如漢朝。」[113]不過這是漢初迫於形勢所致，至景帝以後情況已有改變，甚至東漢則更不堪相比，書中續曰「光武中興，鑑於西漢外戚與諸侯王的禍亂，一方面禁止後宮之家不得預政，而同時也箝制侯王……當時王國的封地極小。」[114]毋怪在獻帝策封曹操爲魏公之詔書中要特別指明「魏國置丞相已下群卿百寮，皆如漢初諸侯王之制」[115]。這可說是曹操又一次對東漢官制進行之調整。回復西漢初年王國之建制，甚至與「中央無異」，目的應爲其擴充權力作更進一步的準備。

其次，兩個尚書臺在權力的結構上，似乎也有不平等的地位，舉其要者即爲選舉權。尚書臺最重要的權責之一爲選舉權，即爲對政府官員的選任上有決定權，尚書臺握有此權約在東漢末年，《後漢書》＜呂強傳＞載「舊典，選舉委任三府……今但任尚書」[116]；至曹操之時，漢廷的尚書臺是否掌有此權？從荀彧爲尚書令的情形觀

---

[112] 陶希聖編，《中國秦漢政治制度史》，頁 179。
[113] 《漢書》，卷 19 上＜百官公卿表七上＞，頁 741。
[114] 陶希聖編，《中國秦漢政治制度史》，頁 182。
[115] 《三國志》，卷 1＜魏書．武帝紀＞，頁 39。
[116] 《後漢書》，卷 78＜呂強傳＞，頁 2532。

之，似乎確有此權，前引曹操對荀彧稱「君之相為舉人」可知，另據《資治通鑑》載荀彧舉仲長統爲尚書郎亦可証明[117]，然而曹操此時似非專以尚書臺爲選舉機關，而有奪其權力的意圖，試看司空及丞相掾屬中都有典選之任，如前引《三國志》<魏書毛玠傳>載「太祖為司空丞相，玠嘗為東曹掾，與崔琰並典選舉。」[118]。這是第一個值得注意的部份。

更進一步如果我們從在法制層面看，相較於魏國的尚書臺，並沒有資料証明漢廷的尙書臺在權責上具有此項選舉權，因爲有關魏國尙書臺的資料中，有很淸楚的關於此項權責的記載，如前引<毛玠傳>後而尙有「魏國初建，為尚書僕射，復典選舉。」[119]，還有同書<徐奕傳>載「魏國既建，為尚書，復典選舉。」[120]，相反在資料中並沒有看到漢廷尙書有此記載。因此不免令人懷疑荀彧只是因個人關係而擁有此推薦權，而非漢廷尙書臺在法令中具有如此的權力？基於這些原因這裡是否可以推斷魏國尙書臺在掌握政務方面，是居較優的地位？即令這樣的推斷不成立，政府中重要的人事任用權，絕大部份是掌握在魏國尙書臺之手這應是可以肯定

117 《資治通鑑》，卷 65<漢紀五十七>，頁 2067。
118 《三國志》，卷 12<魏書．毛玠傳>，頁 375。
119 《三國志》，卷 12<魏書．毛玠傳>，頁 375。
120 《三國志》，卷 12<魏書．徐奕傳>，頁 377。尙有，卷 22<魏書．桓階傳>，頁 632

的；而這個權力正是曹操從司空、丞相一直到魏國尙書臺，掌握在自己手上的重要國家大權。

最後，魏國的政府與漢朝之關係如何？這個問題雖不屬中央政制之範圍，爲求了解曹操改制的全面性，也有探討的必要。表面上看，中央對地方當然有管轄的權力，所以我們也可以看到曹操的一切作爲，都要得到漢獻帝名義上首肯，如《三國志》＜魏書武帝紀＞載建安二十年「天子命公承制封拜諸侯守相。」[121]但實際的情況，似乎與此正好相反，同卷注引＜山陽公載記＞云曹操於建安二十三年「召漢百官詣鄴……皆殺之。」[122]可見曹操對漢廷官員之掌控；不過曹操的作爲也引來忠於漢室的臣下反撲，《三國志》＜魏書武帝紀＞載「（建安）二十三年春正月，漢太醫令吉本與少府耿紀、司直韋晃等反（指反魏國），攻許。」[123]此事雖被魏平定，但正可代表兩個政府的關係。另外在政府的組織上可有差別？同卷建安二十二年記「六月以軍師華歆為御史大夫」[124]，《三國志集解》注引錢大昕之考証，似乎認爲魏有御史大夫而漢廷卻無[125]，這是何種原因造成？可能是就如《三

121 《三國志》，卷 1＜魏書・武帝紀＞，頁 46。

122 同前註，頁 50。

123 同前註。

124 同前註，頁 49。

125《三國志集解》，卷 1＜魏書・武帝紀＞盧弼引錢大昕考証「曰魏志華歆傳，魏國初建為御史大夫，是歆為魏國之御史大夫，非漢

國志集解》引趙一清所言「（曹操）有帝制自為之漸，隨意置省，元不拘拘於漢舊儀也。」[126]

廷之御史大夫也。劉昭注引百官志云建安十三年罷司空，置御史大夫，御史大夫郗慮免，不得補。考建安十九年廢皇后伏氏，慮尚在職，至二十一年封魏王操，則宗正劉艾行御史大夫事，二十五年禪位則太常張音行御史大夫事，然則郗慮以後漢廷無真受御史大夫」，頁 59。

[126] 《三國志集解》，卷 1＜魏書・武帝紀＞，頁 51。

第三節 曹操對東漢及曹魏政制的影響

從以上的討論，我們應該可以說曹操對東漢政制，確實做了不少的調整，首先是錄尙書事，以司隸校尉錄尙書事，打破東漢任用之慣例，並以權力的擁有者而非外戚或大將軍的身份擔任錄尙書事，使錄尙書事一職又恢復了西漢時期擁有的職權（甚且有過之而無不及）。

其次，曹操任司空，改變東漢時司空之組織及權力，以建立其個人的領導班底；最初的權力結構中之組成份子，以兗州人士爲多，因爲曹操曾爲兗州牧，並以此地爲其發展的根據地。

第三，曹操對東漢時三公制度作一大調整，即廢除三公制，回復丞相制，而且是西漢時一人爲相之體制，甚至擴大其權力，使總攬文武各職於一身，並繼續擴充其權力結構及擴大其權力基礎。

第四，曹操最後更以王國之名組織過渡型的政府，成立魏國尙書臺，作爲魏國政務中心，爲篡漢作最後之準備。雖然終其一生並未採取篡漢的行動，但基礎已立、地位已固，所以曹丕在即位當年就能成功篡漢，這都拜曹操所賜。

不過曹操爲建立其權力基礎改東漢以來三公制爲丞相制，對往後曹魏政權有何影響？曹丕在接掌政權後如何處理這個問題？結果又如何？仍有待繼續追蹤研究。

附表一：東漢錄尚書事一覽表

姓　名	時　　間	官　　位	備　　註
趙 憙	明帝永平十八年	太傅錄尚書事	章 帝 紀
牟 融	永平十八年	太尉錄尚書事	牟 融 傳
鄧 彪	章帝章和二年	太傅錄尚書事	和 帝 紀
尹 睦	和帝永元四年	太尉錄尚書事	和 帝 紀
徐 防	殤帝延平元年	太尉錄尚書事	殤 帝 紀
張 禹	延平元年	太傅錄尚書事	殤 帝 紀
馮 石	安帝延光元年	太傅錄尚書事	安 帝 紀
劉 熹	延平元年	太尉錄尚書事	馮 磾 傳
桓 焉	順帝永建元年	太傅錄尚書事	順 帝 紀
朱 寵	永建元年	太尉錄尚書事	順 帝 紀
劉 光	永建二年	太尉錄尚書事	順 帝 紀
龐 參	永建四年	太尉錄尚書事	順 帝 紀
趙 峻	沖帝建康元年	太傅錄尚書事	沖 帝 紀
李 固	建康元年	太尉錄尚書事	質 帝 紀
梁 冀	建康元年	大將軍錄尚書事	李 固 傳
胡 廣	質帝本初元年	太尉錄尚書事	質 帝 紀
趙 戒	本初元年	司徒錄尚書事	質 帝 紀
胡 廣	靈帝建寧元年	司徒錄尚書事	靈 帝 紀
竇 武	建寧元年	大將軍錄尚書事	靈 帝 紀
陳 蕃	建寧元年	太尉錄尚書事	靈 帝 紀
胡 廣	建寧元年	太傅錄尚書事	靈 帝 紀
袁 隗	光熹元年	太傅錄尚書事	靈 帝 紀

何 進	光熹元年	大將軍錄尚書事	何 進 傳
王 允	獻帝初平三年	司徒錄尚書事	獻 帝 紀
馬 日 磾	初平三年	太傅錄尚書事	獻 帝 紀
淳 于 嘉	初平三年	司徒錄尚書事	獻 帝 紀
楊 彪	初平三年	司空錄尚書事	獻 帝 紀
周 忠	初平三年	太尉錄尚書事	獻 帝 紀
朱 儁	初平四年	太尉錄尚書事	獻 帝 紀
趙 溫	初平四年	司空錄尚書事	資治通鑑漢紀 52
楊 彪	興平元年	太尉錄尚書事	獻 帝 紀
趙 溫	興平元年	司徒錄尚書事	獻 帝 紀
曹 操	建安元年	領司隸校尉錄尚書事	資治通鑑漢紀 54

資料來源：以《後漢書》爲主。

附表二：獻帝初平至建安元年錄尚書事一覽表

時間	姓名	職位	資料來源
獻帝初平三年	王允	司徒錄尚書事	後漢書獻帝紀
初平三年	馬日磾	太傅錄尚書事	後漢書獻帝紀
初平三年	淳于嘉	司徒錄尚書事	後漢書獻帝紀
初平三年	楊彪	司空錄尚書事	後漢書獻帝紀
初平三年	周忠	太尉錄尚書事	後漢書獻帝紀
初平四年	朱儁	太尉錄尚書事	後漢書獻帝紀
初平四年	趙溫	司空錄尚書事	資治通鑑漢紀 52
興平元年	楊彪	太尉錄尚書事	後漢書獻帝紀
興平元年	趙溫	司徒錄尚書事	後漢書獻帝紀
建安元年	曹操	領司隸校尉錄尚書事	資治通鑑漢紀 54

附表三：建安元年至十三年司空掾屬一覽表

資料來源：《三國職官表》、《三國志》各傳等

時間	官名	人名	籍貫	州籍	備註
建安三年置	軍師祭酒	郭嘉	潁川陽翟	豫州	
		董昭	濟陰定陶	兗州	
		徐幹	北海人	青州	
		陳琳	廣陵	徐州	後漢書袁紹傳
		阮瑀	陳留	兗州	
		路粹	陳留	兗州	後漢書孔融傳
		劉楨	東平寧陽	兗州	
建安三年置	軍師	荀攸	潁川潁陰	豫州	
太祖時置	長史	劉岱	沛國	豫州	武帝紀
		薛悌	東郡	兗州	陳矯傳
		王國	東平	兗州	同上
	留府長史	國淵	樂安蓋人	青州	
太祖時置	（軍）司馬	夏侯尙	沛國譙人	豫州	
太祖時置	主簿	劉放	涿郡人	幽州	
		趙儼	潁川陽翟	豫州	
太祖時置	參軍	華歆	平原高唐	青州	
		王朗	東海郡	徐州	
		曹純	沛國譙人	豫州	
		賈詡	武威姑	涼州	
太祖時置	西曹掾屬	（掾）陳群	潁川許昌	豫州	
		（屬）陳群			
		梁習	陳郡柘人	豫州	

		王思	濟陰	兗州	
太祖時置	東曹掾屬	毛玠	陳留平丘	兗州	
太祖時置	戶曹掾	田疇	右北平	幽州	
太祖時置	倉曹屬	劉曄	淮南成	揚州	
		阮瑀			
	司空掾	涼茂	山陽昌邑	兗州	
		陳矯	廣陵東陽	徐州	
		徐奕	東莞	徐州	
		司馬朗	河內溫人	司隸	
		何夔	東郡陽夏	兗州	
		邢顒	河間鄚人	冀州	
		徐宣	廣陵海西	徐州	
		王脩	北海朱虛	青州	通鑑漢紀 56
		邴原	北海營陵	青州	通鑑漢紀 57
		鄭渾	河南開封	司隸	三國志本傳頁 509
		衛覬	河東安邑	司隸	三國志本傳頁 610
	司空司直	杜畿	京兆杜陵	司隸	
	軍謀掾	孫禮	涿郡容城	幽州	

附表四：司空掾屬遷轉一覽表

人名	職稱	遷轉	後遷轉丞相掾屬及魏國公卿	備註
郭嘉	司空軍祭酒	薨		郭嘉傳頁 433-435
董昭	司空軍謀祭酒	文帝即位拜將作大匠		董昭傳頁 440
徐幹	司空軍謀祭酒掾屬			王粲傳頁 599
陳琳	司空軍謀祭酒	門下督	門下督	王粲傳頁 600
阮瑀	司空軍謀祭酒	倉曹掾屬	倉曹掾屬	王粲傳頁 600
路粹	軍謀祭酒	丞相軍謀祭酒	丞相軍謀祭酒	王粲傳頁 603
劉楨	軍師祭酒			王粲傳頁 601
荀攸	軍師	中軍師	魏國尚書令	荀攸傳頁 324
劉岱	長史			
薛悌	左右長史	中領軍	中領軍	陳矯傳頁 645
王國	左右長史			陳矯傳頁 645
國淵	司空掾屬居府長史	魏郡太守	魏國太僕	國淵傳頁 339
夏侯尚	軍司馬	五官將文學		夏侯尚頁 293
劉放	參司空軍事歷主簿記室	郃陽、祋祤、贊令		劉放傳頁 457
趙儼	司空掾主簿	領章陵太守	後爲丞相主簿	趙儼傳頁 668
華歆	參司空軍事	入爲尚書		華歆傳頁 403
王朗	參司空軍事	軍祭酒領魏郡太守	丞相軍祭酒	王朗傳頁 407-408
曹純	議郎參司空軍事	薨		曹純傳頁 276-277
賈詡	參司空軍事	太中大夫		賈詡傳頁 330

陳群	司空西曹掾屬	蕭、贊、長平令		陳群傳頁 633
梁習	西曹令史	并州刺史		梁習傳頁 469
王思	西曹令史	豫州刺史		梁習傳頁 470
毛玠	司空東曹掾	丞相東曹掾	魏國尚書僕射	毛玠傳頁 375
田疇	署司空戶曹掾	議郎		田疇傳頁 342
劉曄	司空倉曹掾主簿	行軍長史兼領軍	行軍長史	劉曄傳頁 444
涼茂	司空掾	補侍御史出泰山太守	魏國尚書僕射	涼茂傳頁 338
陳矯	司空掾屬	相令	丞相長史	陳矯傳頁 643
徐奕	司空掾屬	從征馬超轉丞相長史	丞相長史	徐奕傳頁 377
司馬朗	司空掾屬	成皋令	入爲丞相主簿	司馬朗傳頁 467
何夔	司空掾屬	城父令遷長廣	參丞相軍事	何夔傳頁 379
邢顒	司空掾	行唐令	丞相門下督	邢顒傳頁 383
徐宣	司空掾屬	東緡、發干令、遷齊郡太守	丞相東曹掾	徐宣傳頁 645
王脩	司空掾行司金中郎將	魏郡太守	魏國大司農	王脩傳頁 347
邴原	司空掾	丞相徵事	丞相徵事	邴原傳頁 351
杜畿	司空司直	護羌校尉使持節領西平太守		杜畿傳頁 494
孫禮	司空軍謀掾	河間郡丞		孫禮傳頁 691
鄭渾	掾	下蔡長・邵陵令	丞相掾屬	鄭渾傳頁 509
衛覬	司空掾屬	茂陵令		衛覬傳頁 610

資料來源：洪飴孫《三國職官表》及《三國志》＜魏書＞各傳

附表五：建安十三年及其後丞相掾屬一覽表

資料基本來源：《三國職官表》

★曾任司空掾屬

時間	官名	人名	備註
應在十八年前	軍師祭酒	董昭★	三國志武帝紀註
同上		薛洪	同上
同上		董蒙	同上
		王選	
		袁渙	
		王朗★	
		任藩	
		杜襲	
		王粲	
		傅巽	
		張承	
		郭嘉★	
		張京	
		李義	
		杜夔	
		董芬	
		路粹★	通鑑漢紀 57
建安十三年前	中軍師	王淩	
		荀攸★	
	前軍師	鍾繇	
	左軍師	涼茂★	

	右軍師	毛玠★	
	軍師	華歆★	
		成公綏	
太祖爲丞相時置	司直	韋晃	三國志武帝紀
太祖爲丞相置左右	左右長史	（左）薛悌	三國志徐宣傳
		（右）王國	同上
		萬潛	
		謝奐	
		袁霸	
		王必	
		陳矯★	
		辛毗	
		蔣濟	
		司馬懿	
		徐奕★	
		杜襲	
太祖時置	留府長史	徐奕	三國志武帝紀
		杜襲	
		國淵★	
太祖時置	行軍長史	劉曄★	
太祖時置	左右司馬	典滿	
		司馬懿	
太祖時置	主簿祭酒	賈逵	
太祖時置	主簿	楊修	三國志陳思王植傳
		劉曄	

		蔣濟	
		司馬懿	
		司馬朗★	
		令狐劭	
		溫恢	
		賈逵	
		王淩	
		繁欽	
		桓階	
		趙儼★	
太祖時置	參軍祭酒	張承	
太祖時置	參軍	荀彧	
		張範	
		張承	
		何夔★	
		邢顒★	
		程昱	
		孫資	
		仲長統	
		陳群★	
		衛臻	
		裴潛	
		傅幹	三國志武帝紀
本漢制	西曹屬	郭諶	三國志張魯傳
		丁儀	通鑑漢紀 59

		崔琰	通鑑漢紀 57
		蔣濟	
		盧毓	
本漢制	東曹掾	崔琰	
		毛玠	
		何夔	
		邢顒	
		徐宣★	
		陳群	
	（屬）	司馬懿	
		崔琰	
		徐奕	
		常林	
		任嘏	後漢書鄭玄傳
	（令史）	胡質	
		徐邈	
本漢制	戶曹掾	衛臻	
本漢制	兵曹掾（令史）	郭淮	
本漢制	法曹掾	高柔	
	（令史）	盧毓	
本漢制	倉曹屬	劉廙	
		高柔	
		裴潛	
		傅幹	

		楊脩	
太祖時置	記室		
太祖時置	門下督	邢顒	
建安 15 年	徵事	邴原	
		王烈	邴原傳
		崔琰	
	校事（撫軍都尉）		
建安 19 年	理曹掾屬	裴潛	
		高柔	
	軍謀掾	賈洪	王肅傳
		薛夏	王肅傳
		隗禧	
		韓宣	
		令狐劭	倉慈傳
		荀緯	
		徐邈	
		沐並	
		田豫	
		牽招	
	軍議掾	高堂隆	
	右刺姦掾	丁儀	
	（令史）	高柔	
	文學掾	司馬懿	
	士曹屬	韓暨	通鑑漢紀 57

	丞相掾	王粲	
		耿紀	三國志武帝紀
		鄭渾	
		鮑勛	
		趙勘	
		丁儀	
		王烈	
	丞相掾屬	應瑒	
		劉楨	
		劉廙	
		和洽	通鑑漢紀 57
		王淩	
		龐涓	
		鄭渾	
		崔林	

附表六：丞相掾屬遷轉一覽表

（★遷轉魏國公卿　☆遷轉地方官員）

資料來源：《三國職官表》及《三國志》<魏書>各傳

人名	職稱	遷轉	備註
董昭	軍師祭酒	文帝即王位為將作大匠	董昭傳頁 440
薛洪	軍師祭酒		
董蒙	軍師祭酒		
王選	軍師祭酒		
袁渙	丞相軍祭酒	魏國郎中令★	袁渙傳頁 335
王朗	丞相軍祭酒領魏郡太守	少府、奉常、大理★	王朗傳頁 407
任藩	軍師祭酒		
杜襲	丞相軍祭酒	魏國既建為侍中★	杜襲傳頁 666
王粲	丞相掾・軍謀祭酒	魏國既建拜侍中★	王粲傳頁 598
傅巽			
張承	丞相參事	領趙郡太守☆	張範傳頁 338
郭嘉	軍祭酒	薨	郭嘉傳頁 435
張京			
李義	軍祭酒	魏尚書左僕射★	裴潛傳頁 675
杜夔	軍謀祭酒參太樂事		杜夔傳頁 806
董芬	軍謀祭酒		
路粹	軍謀祭酒	祕書令	王粲傳頁 603
王淩	丞相掾屬	（文書）散騎常侍	王淩傳頁 757
荀攸	中軍師	魏國尚書令★	荀攸傳頁 324
鍾繇	前軍師	魏國大理★	鍾繇傳頁 393

涼茂	左軍師	魏國尙書僕射★	涼茂傳頁 338
毛玠	東曹掾/右軍師	魏尙書僕射★	毛玠傳頁 375
華歆	軍師	魏國御史大夫★	華歆傳頁 403
成公綏			
韋晃	司直		
薛悌	左長史		陳矯傳頁 645
王國	右長史		陳矯傳頁 645
萬潛	長史		武帝紀頁 40
謝奐	長史		武帝紀頁 40
袁霸	長史		武帝紀頁 40
王必	長史		武帝紀頁 40
陳矯	丞相長史	魏郡太守☆	陳矯傳頁 644
陳矯	西曹屬	尙書	陳矯傳頁 644
辛毗	丞相長史	文帝踐阼爲侍中	辛毗傳頁 696
蔣濟	丞相主簿西曹掾	東中郎將	蔣濟傳頁 450-451
司馬懿	文學掾	黃門侍郎	
司馬懿	丞相東曹屬	主簿	
司馬懿	主簿	魏國建爲太子中庶子	
司馬懿	軍司馬	文帝丞相長史	晉書宣帝紀頁 2-3
徐奕	丞相長史	鎭撫西京雍州刺史☆	徐奕傳頁 377
徐奕	東曹屬	魏郡太守☆	徐奕傳頁 377
徐奕	留府長史	魏國既建爲尙書★	徐奕傳頁 377
國淵	留府長史	魏郡太守、魏國太僕★	國淵傳頁 339

劉曄	主簿	行軍長史兼領軍	劉曄傳頁445[127]
典滿			
賈逵	丞相主簿	諫議太夫	賈逵傳頁481
賈逵	丞相主簿祭酒	豫州刺史☆	賈逵傳頁482
楊脩	（丞相）倉曹屬主簿	被殺	陳思王植傳頁558
司馬朗	丞相主簿	兗州刺史☆	司馬朗傳頁468
令狐邵	丞相主簿	弘農太守☆	倉慈傳頁514
溫恢	丞相主簿	揚州刺史☆	溫恢傳頁478
繁欽	丞相主簿	23年卒	王粲傳頁603
桓階	丞相掾主簿	趙郡太守☆	王粲傳頁632
趙儼	丞相主簿	扶風太守☆	趙儼傳頁668
荀彧	參丞相軍事	薨	荀彧傳頁317
張範	參丞相軍事	卒	張範傳頁337-338
何夔	參丞相軍事	樂中太守☆	何夔傳頁380
何夔	丞相東曹掾	魏國既建爲尙書僕射★	何夔傳頁381
邢顒	丞相門下督	左馮翊☆	邢顒傳頁383
程昱	參軍[128]	魏國衛尉★	程昱傳頁429
孫資	參丞相軍事	秘書右丞	劉放傳頁457

127 征張魯爲主簿，時間爲建安16年。《三國志》<魏書・劉曄傳>頁34。

仲長統	參丞相曹操軍事	卒	後漢書仲長統傳頁 1646
陳群	參丞相軍事	魏國既建遷御史中丞★	陳群傳頁 633
陳群	侍中領丞相東西曹掾	文帝爲王爲尙書	陳群傳頁 635
衛臻	參丞相軍事、戶曹掾	文帝即位散騎常侍	衛臻傳頁 647
裴潛	參丞相軍事	出歷三縣令☆	裴潛傳頁 671-672
裴潛	倉曹屬	代郡太守☆	裴潛傳頁 671-672
裴潛	丞相理曹掾	沛國相☆	裴潛傳頁 671-672
傅幹	參軍		
郭諶	西曹掾		張魯傳頁 265
丁儀	掾（刺姦掾）		陳思王植傳頁頁 562
崔琰	東西曹掾屬徵事	魏國尙書★	崔琰傳頁 368
盧毓	丞相法曹議令史轉西曹議令史	魏國建爲吏部郎★	盧毓傳頁 650-651
徐宣	丞相東曹掾	魏郡太守☆	徐宣傳頁 645
常林	丞相東曹屬	魏國建爲尙書★	常林傳頁 659
任嘏	相國東曹屬	尙書郎	
胡質	丞相東曹議令史	（黃初中）吏部郎	胡質傳頁 742
徐邈	丞相軍謀掾	守奉高令☆	
徐邈	東曹議令史	魏國建爲尙書郎★	徐邈傳頁 739
郭淮	丞相兵曹議令史	征西將軍司馬	郭淮傳頁 733

高柔	丞相倉曹掾	魏國既建尚書郎★	高柔傳頁683
高柔	丞相理學掾	穎川太守☆	這柔傳頁684
高柔	丞相法曹掾	（文帝）治書侍御史	高柔傳頁684
劉廙	丞相掾屬	五官將文學	劉廙傳頁614
劉廙	丞相倉曹屬	文帝爲王爲侍中	劉廙傳頁616
邴原	丞相徵事	五官將長史	邴原傳頁351
王烈	丞相掾徵事	未至卒	管寧傳頁355
賈洪	軍謀掾	陰泉長☆	王肅傳頁421
薛夏	軍謀掾	文帝時祕書令	王肅傳頁421
隗禧	軍謀掾	文帝時爲淮王郎中	王肅傳頁422
韓宣	軍謀掾	黃初中爲尚書郎	裴潛傳頁675
荀緯			常林傳頁659
沐並	軍謀掾	黃初中爲成臯令	常林傳頁661
田豫	丞相軍謀掾	穎陰朗陵令弋陽太守☆	田豫傳頁726
牽招	軍謀掾	護烏丸校尉	牽招傳頁731
高堂隆	丞相軍議掾	歷城侯衛文學	高堂隆傳頁708
韓暨	丞相士曹屬	樂陵太守☆	韓暨傳頁677
耿紀	丞相掾	侍中	武帝紀頁頁50
鄭渾	丞相掾屬	左馮翊☆	鄭渾傳頁509
鄭渾	丞相掾	侍御史（加駙馬都尉）遷陽平沛郡太守	鄭渾傳頁511
鮑勛	丞相掾	中庶子	鮑勛傳頁384
趙勘			
應瑒	丞相掾屬	平原侯庶子	王粲傳頁601

劉楨	丞相掾屬	被刑	王粲傳頁 601
和洽	丞相掾屬	魏國建爲侍中★	和洽傳頁 656
龐涓			
崔林	丞相掾屬	魏國既建御史中丞★	崔林傳頁 679
楊俊	丞相掾屬	舉茂才、安陵令、遷南陽太守☆	楊俊傳頁 663
王觀	丞相文學掾	高唐、陽泉、酇、任令☆	王觀傳頁 693

資料來源：洪飴孫《三國職官表》及《三國志》＜魏書＞各傳爲主

附表七：建安十八年至二十四年任職魏國公卿一覽表

	十八年	十九年	二十年	廿一年	廿二年	廿三年	廿四年	延康元年
相國				鍾繇★			免	華歆★
御史大夫	袁渙★				華歆★			王朗★
太常				涼茂★	王修	王修卒 王朗★	王朗★ 遷大理	
郎中令	袁渙★				王修 和洽★		和洽	和洽★
衛尉					程昱★	免		
太僕	國淵★							
大理	鍾繇★						王朗★	鍾繇★
大農	王修				袁霸★			袁霸
大鴻臚							張太	張太
少府	謝奐★		萬潛★		王朗★	耿紀★		謝奐★ 萬潛★
中尉			涼 茂★	國淵★	邢貞	邢貞免 楊俊	楊俊免 徐奕★	徐奕★
太子太傅					涼茂★ 何夔★			
尙書令	荀攸★	劉先			徐奕★		桓階	桓階★
尙書僕射	涼茂★		毛 玠★	何夔★	李義★			李義★ 陳群★
尙書	毛玠★ 崔琰★		張既 崔琰★	常林★ 徐奕★	常林★	桓階★	常林 陳矯★	衛覬 杜畿

	常林★ 徐奕★ 何夔★		常林★ 徐奕★ 何夔★					
侍中	王粲★ 杜襲★ 衛覬 和洽★		王粲★ 杜襲★ 衛覬 和洽★	桓階★	衛覬 陳群★	衛覬 陳群★		趙儼★ 劉廙★ 劉曄★ 辛毗★
中領軍	韓浩						曹休	曹休
中護軍	曹洪							
左將軍				于禁				
右將軍				樂進				

★曾任丞相掾屬　　　　曾任司空掾屬（框）

資料來源：三國職官表

第三章　曹魏一朝政務機關之研究（上）

曹操於建安廿五年去世，曹丕即王位並改建安廿五年爲延康元年，當年十月即篡漢自立，年號黃初，正式開始曹魏一朝的歷史。

前一章討論建安年間的政務機關，並以東漢時期的情形與之相較，以求明白建安年間之政務機關之發展，此處則擬對建安以後，曹丕以及整個曹魏時期之政務機關發展作一探究。主要是希望從兩個方面著手，一爲有其名卻無其實者，如太傅及三公，所以稱他們有名無實，因爲當時尚有以宰相稱司徒及司空等，《三國志》<崔林傳>記「景初元年，司徒、司空並缺，散騎侍郎孟康薦林曰『夫宰相者，天下之所瞻效，誠宜得秉忠履正，本德仗義之士，足為海內所師表者。……』後年遂為司空」云云[1]，足証當時尚以宰相視司徒及司空；然而三公在魏初卻又不預實政，同書<高柔傳>載「魏初，三公無事，又希與朝政。」[2]但這裡只提到曹魏初期，時間上應指文帝黃初四年前，因爲高柔是在這一年爲廷尉，並且針對

[1] 《三國志》，卷 24<魏書．崔林傳>（台北：鼎文書局，民 69 年），頁 681。
[2] 《三國志》，卷 24<魏書．高柔傳>，頁 685。

三公不預政而上奏建言，則文帝後期、明帝以至後來的曹魏時期又如何？若一如魏初，則確爲有名無實；同時上一章的研究中發現建安年間曹操擔任司空一職，改變原來司空在東漢時不預實務的地位，曹操並利用司空掾屬以擴充其權力，建立領導班底，最後更變三公爲丞相，回復西漢丞相制度，但又比西漢丞相擁有更大的權力；曹丕及其後的曹魏政權中有沒有出現這種情形？曹丕又如何面對及處理曹操留下來的政制問題，如魏國有相國一職？同時曹魏時期諸公的發展又是如何？即本章所要探討的問題。

另一方面則爲無其名卻有其實的機構－－尚書臺等，自光武帝親總吏職，政歸臺閣，尚書臺一直處於樞機之任，陳啓雲在＜兩晉三省制度之淵源、特色及其演變＞一文以時人對尚書臺官員的稱呼爲準則，認爲「帶有『政府首領』涵義的稱謂，大概自魏晉以來才逐漸加諸尚書省長官身上。」[3]曹魏時期正是過渡期的開端[4]，尚書臺在政府中的首領地位尚未完全確立，亦即沒有法定統領政務之名；但卻如陳壽所言「魏世事統臺閣」[5]，尚

---

[3] 陳啓雲，＜兩晉三省制度之淵源、特色及其演變＞，《新亞學報》，3：2（1958.2），頁 120。

[4] 資料中尚多見對尚書臺官員以樞機稱呼，如《三國志》，卷 12＜魏書．司馬芝傳＞稱尚書何晏、鄧颺爲樞機大臣，頁 389。

[5] 《三國志》，卷 22＜魏書．桓二陳徐衛盧傳＞中陳壽評曰「魏世事統臺閣，重內輕外，故八座尚書，即古六卿之任。」，頁 653。

書臺擁有實際處理政務的權力，亦即有統領政務之實，故尚書臺在曹魏的發展情況，正是由有實無名、過渡至名實相符的重要階段，自有討論的必要，只是要討論尚書臺，尚有其他相關問題要一併處理，才有可能貼近歷史真相，包括錄尚書事、中書及侍中等；即如陳啓雲所言「漢世處分文案的權力實際上在『領、錄、典、平』尚書事諸官之手，尚書機關則不過替這些官員服務而已。」錄尚書事納入討論的原因在此，陳氏尚有提及「若就三省發展的全面歷程來看……兩漢重公卿及尚書（中書、門下尚未成形）；魏晉重尚書及中書（門下已在發展）」[6]云云，則中書及門下侍中爲相關問題之原因所在。所以這部份實即討論尚書、中書及門下等問題。

另外上一章還有一個重要討論點，即人事問題，曹操利用司空及丞相自置掾屬的權利，擴大其權力基礎，最後成功的建立其政權，曹丕篡漢成功，與此實有密不可分的關係；我們也看到在曹操時汝潁及譙沛兩大政治派系正發展中，則此等派系在此時期的發展又如何？再者司馬氏家族對曹魏後期的影響已是史學界共識，只是司馬氏在曹魏時期的發展過程爲何？與東漢時的曹操可有相類似的地方？或者司馬氏家族憑藉甚麼取得曹魏的政權？如何建立其領導班底？對政制有沒有影響？皆有

---

[6] 陳啓雲，＜兩晉三省制度之淵源、特色及其演變＞，頁 120。

探究的必要。

所以下面兩章裡，試圖對曹魏政權中的政務機關作重點探究，以明自曹操以後，政務機關之發展、範圍及其特色等相關部份，希望能掌握其在曹魏時期之發展；至於研究的途徑，則希望順著前面探討曹操時期的兩條主線，即如太傅、三公等諸公爲一部份，還有尚書、侍中及中書等爲另一部份。分別探討這兩個部份的成員在曹魏的權力結構中，各自扮演的角色爲何？各自擁有之權限爲何？其發展之脈絡爲何？相互的關係又是如何等問題作一釐清。

本章先就曹魏時期的諸公官作一考究，然考查曹魏時期地位與三公相仿者，實不在少數，根據《晉書》＜職官志＞、《宋書》＜百官志＞及《通典》＜職官＞等書[7]，都清楚列舉曹魏時期的官員名稱，光是所謂諸公之官就有七、八位之多，也就是本書第一章所列相國、太尉、司徒、司空、太傅、太保、大司馬及大將軍等，然而魏世既有事統臺閣之稱，這些官員的地位如何？是否如黃惠賢所說「**魏晉南北朝時，諸公不預實政，已成虛榮，**

---

[7] 《晉書》，卷 24＜職官志＞（台北：鼎文書局，1983），頁 724-729。《宋書》，卷 39＜百官上＞（台北：鼎文書局，1980），頁 1217-1223。唐．杜祐，《通典》，卷 20＜職官二＞（北京：中華書局，1988），頁 504-520。

但是，魏晉北朝，諸公一般仍開府，具官屬，似有政務處理，尚具一定的權力。」[8]但這說法其實隱含一個問題：具官屬一定會處理政務嗎？處理政務者一定要有官屬嗎？我們試看東漢時的三公官，根據周道濟《漢唐宰相制度》一書所考究，東漢時三公都有開府設掾屬[9]，但東漢三公之官不預實政，則早爲史學界的共識，所以有官屬並不必然具有實權，兩者似並無必然關係；另外如尙書，從皇帝近臣而掌握權力，到設置官屬建立組織也要歷經一些時間，但其擁有權力之原因卻並非由於其有官屬，這更是可以肯定的；以開府、具官屬這兩項條件判別其虛職與否，似有不盡符合實情的地方。更何況曹魏時期的諸公官，全都有掾屬設置，我們只要參看《三國職官表》即知[10]。因此這樣的說法對釐淸曹魏一朝政務機關的幫助不大。

又如曾資生在《中國政治制度史》中有言，「魏晉以至南北朝，諸公之官已成為尊貴的榮稱，不關實政。其有實權者假竊丞相相國之號，但實質並非人臣之職。」[11]

---

[8]白鋼主編，黃惠賢著，《中國政治制度通史》第四卷，＜魏晉南北朝＞，（北京：人民出版社，1996 年）頁 85。

[9] 周道濟，《漢唐宰相制度》（臺北：大化書局，1978 年），頁 31-46。

[10] 洪飴孫《三國職官表》收錄在《二十五史補編》（北京：中華書局，1986），頁 2731-2744。

[11] 曾資生，《中國政治制度史》第三冊，＜魏晉南北朝＞（香港：龍門書店，1969），頁 77-78。

但曾氏所言只及丞相爲實權者，其他的諸公則都成虛職，果真如此嗎？如大司馬及太尉等也都負有實際領兵打仗的責任，文帝明帝時的曹仁、曹休及曹真爲大司馬就曾實際領有兵權[12]，怎能說他們不關實政？所以曾氏這一說法仍未能徹底解決此一問題。

本章爲求對曹魏時期諸公官作一全面的了解，因此在範圍上希望把黃氏及曾氏兩書所討論的諸公皆納入研究範疇，即相國、太尉、司徒、司空、太傅、太保、大司馬、大將軍[13]共八個。但爲討論方便，筆者把他們分爲三類，一爲太保、司徒及司空，一爲大司馬，最後則爲太尉、太傅、大將軍及相國，這樣的分類原則，筆者其實是根據他們與權力的關係作分類，第一類是不具有實權，已成虛職，第二類是有權力，負責行軍打仗，但他們都是曹氏家族，曹仁、曹休及曹真；第三類則是本來也爲虛職清望之官，由於特殊的情況，使虛職轉爲擁有實權，甚至最後成爲篡弒之臣，篡魏而成晉國，即司馬氏及與其有關的官員，這樣的說法証據何在？下面即一一說明。

---

[12] 《三國志》，卷 9<魏書．曹仁傳><魏書‧曹真傳>，頁 274。

[13] 黃惠賢，<魏晉南北朝>，頁 83。曾資生，<魏晉南北朝>，頁 80-84。

第一節 太保、司徒及司空

曹操於建安廿五年去世，曹丕繼位爲漢丞相及魏王，曹丕即以曹操留下來魏國的組織架構，進行人事安排，如《三國志》<魏書文帝紀>載「以大中大夫賈詡為太尉，御史大夫華歆為相國，大理王朗為御史大夫」，但似乎同時也作某種程度的改變，如同卷尚記載「置散騎常侍、侍郎各四人，其宦人為官者不得過諸署令」[14]等，又據<魏書杜恕傳>注引《魏略》所載「散騎皆以高才英儒充其選」[15]，所以文帝這些措施，確對曹操留下的政治基礎作一番調整，同時注重高才英儒之挑選，而限制宦者「以糾正漢末的宦官專權」[16]。另外更重要的改變，則爲黃初元年即帝位後，「改相國為司徒，御史大夫為司空，奉常為太常，郎中令為光祿勳，大理為廷尉，大農為大司農。郡國縣邑，多所改易。」[17]在這裡比較關注的是改相國爲司徒及御史大夫爲司空兩職，因爲代表由相國制改爲三公制度的問題。上一章已論証曹操就是利用改三公爲丞相的機會，獨攬大權並擴充其權力基礎，然

---

[14] 《三國志》，卷 2<魏書・文帝紀>，頁 58。

[15] 《三國志》，卷 16<魏書・杜恕傳>注引《魏略》所載，雖然時間上稍晚，在黃初中期，但文中也記述「是時，散騎皆以高才英儒充其選」，從文意看這是一個當時的習慣，並非只在黃初中期的時候，頁 506。

[16] 祿夢庵，《三國人物論集》（臺北：臺灣商務，1996），頁 175。

[17] 《三國志》，卷 2<魏書・文帝紀>，頁 76。

而魏文帝曹丕不同於漢獻帝，華歆也不比曹操，曹丕選擇改變魏國時的相國制度回復東漢三公制，重新掌握行政最終權力，也應是自然及合理的選擇，只是選擇三公制後，他們的地位如何？

（一） 太保

曹魏一朝任太保者只一人－－即鄭沖，太保一職在兩漢未見，《晉書》<職官志>稱與太宰及太傅本爲「周三公官，魏初唯置太傅，以鍾繇為之，末年又置太保，以鄭沖為之。」[18]在設置時間較晚，設置的原因跟曹丕大抵沒有關係，放在第一位討論，是因爲在地位上較三司爲高[19]，人數也最少，職權上也最容易了解，因爲太保似確不預實政，據《晉書》<職官志>所謂「論道經邦，燮理陰陽。」[20]與《宋書》<百官志>所載略同，只是《宋書》多「所以訓護人主，導以德義者」之句[21]，就字義上解釋，這樣的職權都是地位較高的職位，但對現實政治的影響力則並不必然就大；因爲在資料上找不到任何有關太保的記載，在《三國志》中只找到「司徒鄭沖為太

---

[18] 《晉書》，卷 24<職官志>，頁 724-725。
[19] 《晉書》，卷 33<鄭沖傳>，頁 992。
[20] 《晉書》，卷 24<職官志>，頁 725。
[21] 《宋書》，卷 39<百官志>上，頁 1218。

保」[22]，其次則在《晉書》<鄭沖傳>，這個記載甚至更証明其不預實政的情形，因爲書中記述「沖雖位階台輔，而不預世事。」[23]所以不見鄭沖有何重要影響力。雖然在咸熙元年司馬昭「奏司空荀顗定禮儀，中護軍賈充定法律，尚書僕射裴秀議官制，太保鄭沖總而裁焉。」[24]，但似乎是諮詢性，非關實政，觀《晉書》<鄭沖傳>所載「命賈充、羊祜等分定禮儀、律令，皆先諮於沖」[25]可知。

至於是否設置掾屬，則並未找到直接的証據証明，《晉書》<職官志>及《宋書》<百官志>[26]都未記載其有掾屬，甚至《通典》也說「不見官屬」[27]，只有《三國職官表》載其有長史、署諸曹事司馬、從事中郎及掾屬舍人，並謂除掾屬舍人外，餘皆與太傅同[28]，既然晉書等也不見太傅的屬官，則《三國職官表》所據爲何，仍有待釐清及確定；其實正由於職權及組織皆不見記載，或許更能証明其屬虛職不預實政，因爲虛職不預實政，故記載方面自然不及於此等無關實政之官員。

---

[22] 《三國志》，卷 4<魏書・陳留王奐紀>，頁 149。
[23] 《晉書》，卷 33<鄭沖傳>，頁 992。
[24] 《晉書》，卷 2<文帝紀>，頁 44。
[25] 《晉書》，卷 33<鄭沖傳>，頁 992。
[26] 《宋書》，卷 39<百官志>上，頁 1217-1218。
[27] 唐・杜祐，《通典》，卷 20<職官二>「魏置太傅、太保，而不見官屬」，頁 521。
[28] 洪飴孫，《三國職官表》，頁 2737。

（二） 司徒

其次則爲司徒，曹丕篡漢，改元黃初，並立刻「改相國為司徒，御史大夫為司空」[29]，這裡可看到曹丕把曹操時所採用的丞相獨相制，轉變回復三公多相制，這樣的改變是否意味著權力的重新安排分配，實有須要進一步分析。

先就司徒在朝廷的地位而言，其實仍屬崇高的，如文帝時華歆爲司徒，即曾稱「司徒，國之雋老，所與和陰陽理庶事也。」[30]不過前已述及魏初三公希與朝政，至明帝景初元年，散騎侍郎孟康有言「夫宰相者（指司徒及司空），天下之所瞻效，誠宜得秉忠履正本德仗義之士，足為海內所師表者。」[31]可見其清望之地位不變；又景初三年明帝崩，司徒在名義上仍與司空爲百寮之首，《三國志》<魏書齊王芳紀>載「司徒、司空、冢宰、元輔總率百寮，以寧社稷。」[32]甚至曹魏末期，地位仍如前期一般無異，如咸熙元年，司馬昭爲相國，進爵爲晉公，魏三公見晉王，獨太尉王祥不拜，其原因是認爲「相

[29] 《三國志》，卷 2<魏書・文帝紀>，頁 76。
[30] 《三國志》，卷 13<魏書・華歆傳>，頁 403。
[31] 《三國志》，卷 24<魏書・崔林傳>，頁 681。
[32] 《三國志》，卷 4<魏書・齊王芳紀>，頁 117。

國位勢，誠為尊貴，然要是魏之丞相，吾等魏之三公，公、王相去，一階而已，班列大同，安有天子三公可輒拜人者。」[33]即就名義上來說，三公之地位並不遜於相國，但實際之情形似乎要視政治權力而定。

不幸的是，司徒雖擁有如此崇高的地位，卻並不代表其具有相對的權力或影響力，就《續百官志》所載其職權「掌人民事，凡教民孝悌、遜順、謙儉，養生送死之事，則議其制，建其度。凡四方民事功課，歲盡則奏其殿最而行賞罰。凡郊祀之事，掌省牲視濯，大喪則掌奉安梓宮。」[34]所以在《三國志》<魏書高貴鄉公紀>中有關南陽郡功曹應余的問題，就是交給司徒處理[35]；除此本職外，司徒對朝政的影響力，實無異於一般朝廷官員，如薦舉之權，《三國志》<魏書管寧傳>載「黃初四年，詔公卿舉獨行君子，司徒華歆薦寧。」[36]這裡可看到薦舉之權非司徒所獨有，一般公卿也具有此權力；另外司徒也有議政權，如明帝時司徒王朗諫明帝立嗣之事[37]，又如

---

[33] 《三國志》，卷 4<魏書・陳留王紀>注引《漢晉春秋》，頁 150。
[34] 《續百官志》，志 24<百官>（台北：鼎文書局，民 70 年），頁 3560。
[35] 《三國志》，卷 4<魏書・高貴鄉公紀>載「詔曰『昔南陽郡山賊擾攘，欲劫質故太守東里袞，功曹應余獨身捍袞，遂免於難。余顛沛殞斃，殺身濟君。其下司徒，署余孫倫吏，使蒙伏節之報。』」，頁 141。
[36] 《三國志》卷 11<魏書・管寧傳>，頁 356。
[37] 《三國志》，卷 13<魏書・王朗傳>，頁 412。

太和四年行司徒事董昭上奏言末流之弊[38]等，但這樣的情形不能據此以認其擁有具重大的影響力，因為這是朝廷官員普遍都具有的參政權力，並無太特殊的地方。

盧建榮在<魏晉之際的變法派及其敵對者>一文認為當時（高平陵事件前後）的司徒及太尉兩府仍有相當程度的參政權[39]，是否可証司徒在權力結構中的地位並非如前所說屬虛位？此處認為這是一個特例，理由之一是時間的巧合，正始九年司空、司徒同時換人（參附表十七：司徒任遷一覽表及附表十八：司空任遷一覽表），高柔正是由司空轉任為司徒，司空則以王淩接任，（有關王淩可留待司空時再討論），高柔接任司徒不多久即有高平陵事件，可見高柔就算以司徒一職而有力量參與高平陵事件，也可能是特殊的安排，不見得是司徒一職本身的權力，再者理由二，當政變發生後，高柔尚要以假節行大將軍之頭銜，佔據曹爽軍營，以奪其軍權，即知司空一職並不能握有軍權。（後面討論司空時還要補充）

更重要者，自後司徒似又回復其清望之地位。我們試看接下來司徒的人選，一為鄭沖，從前面有關太保一職的討論中，我們可以知道鄭沖此人不預實政，則其在司徒時可能也不致有太大的改變，尤有甚者是沒有資料

---

[38] 《三國志》，卷 14<魏書・董昭傳>，頁 442。

[39] 盧建榮，<魏晉之際的變法派及其敵對者>，《食貨月刊》，10：7（1980.10），頁 271-292。

証明其在司徒任內之作爲，則其重要性不免令人懷疑；第二個是鍾會，《三國志》<魏書鍾會傳>載其因伐蜀有功而遷轉司徒，但未上任而亡[40]；第三人爲何曾，此人與司馬懿的關係非比尋常，《晉書》<何曾傳>載「曹爽專權，宣帝（司馬懿）稱疾，（何）曾亦謝病。爽誅，乃起視事。魏帝之廢，曾預其謀。」[41]同時何曾任職時已屆曹魏末期，即司馬氏之勢力已確立，以何曾的情形，縱有權勢，大抵也與司馬氏的影響有關；最後的司馬望爲司馬氏家族，更不用說與司馬氏之關係。據此我們可以說在何曾以前的司徒，除高柔外，餘皆不具實權，高柔因爲參與政變，在過程中自有必要握得權柄，至於何曾，縱握權柄，其權力也可能來自司馬氏家族之賦與，因爲何曾爲司徒時間已是曹魏末期。

（三）司空

最後則爲司空，曹操曾任司空，在建安十三年轉任丞相時廢三公，建安十八年於魏國置御史大夫[42]，曹丕黃初元年，改御史大夫爲司空[43]；《續百官志》載其職爲「掌水土事。凡營城起邑、浚溝洫、修墳防之事，則議其利，

---

[40] 《三國志》，卷 28<魏書．鍾會傳>，頁 790。
[41] 《晉書》，卷 33<何曾傳>，頁 995。
[42] 《資治通鑑》，卷 66<漢紀五十八>，頁 2124。
[43] 《三國志》，卷 2<魏書．文帝紀>，頁 76。

建其功。凡四方水土功課，歲盡則奏其殿最行賞罰。凡郊祀之事，掌掃除樂器，大喪則掌校復土。凡國有大造大疑，諫爭與太尉同。」[44]除此之外，其職權似跟一般朝臣無異，如爭諫權[45]，正如前面有關司徒所說這種上奏方式朝中大臣俱有，非司空所獨有；至於司空鄭沖曾爲帝師[46]，這應是個人問題，非制度性的權力，看同時尙有侍中爲帝師即知；就其在朝廷的地位而言，前引有關司徒地位的資料中，實已包括司空在內，這兩者的地位應屬相當，皆爲清望之職不預實政，我們更可以司馬昭爲防範諸葛誕，把他從鎭東將軍、儀同三司、都督揚州一職調任司空，以奪其權可知[47]。

不過有一點是值得注意，即曹操時曾利用司空掾屬以建其領導班底，前已論及，但曹丕重建三公制後，司空的掾屬是否仍如曹操時期一樣？答案似乎是否定的，我們試看《三國職官表》中有關司空掾屬的記載，絕大部份找到的資料都屬於曹操時期，只有司空長史沐竝

---

[44] 《續百官志》，志 24<百官>，頁 3562。

[45] 《三國志》，卷 13<魏書．王朗傳>載王朗爲司空，時文帝「頗出游獵，或昏夜還宮。朗上疏」爭諫，頁 409。

[46] 《三國志》，卷 4<魏書．高貴鄉公紀>載「講尙書業終，賜執經親授者司空鄭沖、侍中鄭小同等各有差。」頁 133。

[47] 《三國志》，卷 28<魏書．諸葛誕傳>，頁 770。及注引《魏末傳》，頁 771。尙可參看《晉書》，卷 40<賈充傳>，頁 1165-1166。

正始中期、參軍魯芝在王朗爲司空時有記載[48]，或許在曹魏時期司空的組織架構已回復原樣，非可比曹操時期。

在人選方面，有值得討論的地方，首先是陳群，他擔任司空是在黃初七年文帝死，明帝即位之時，但陳群是文帝臨終時的四位顧命大臣中之一，《三國志》＜魏書文帝紀＞載「帝疾篤，召中軍大將軍曹真、鎮軍大將軍陳群、征東大將軍曹休、撫軍大將軍司馬宣王，並受遺詔輔嗣主。」[49]陳群所以得到曹丕的信任，萬繩楠在＜曹魏政治派別的分野及其升降＞一文已有論述，認爲是代表汝穎集團及士族在曹丕時期取得重要發展的表徵[50]；但明帝即位，對曹丕的安排作了調整，《三國志》＜魏書明帝紀＞記「以太尉鍾繇為太傅，征東大將軍曹休為大司馬，中軍大將軍曹真為大將軍，司徒華歆為太尉，司空王朗為司徒，鎮軍大將軍陳群為司空，撫軍大將軍司馬宣王為驃騎大將軍。」[51]與前相較，曹休、曹真及司馬懿尙在軍職系統（大司馬屬軍職系統，下有詳論），而陳群－－汝穎集團之領導人物－－則轉任司空，是否代表司空地位有所改變？或陳群之政治地位改變？下面的証據

48 洪飴孫《三國職官表》，頁 2743。
49 《三國志》，卷 2＜魏書・文帝紀＞，頁 86。
50 萬繩楠，＜曹魏政治派別的分野及其升降＞，《歷史教學》，1964-1（1964.1），頁 2-11。
51 《三國志》，卷 3＜魏書・明帝紀＞，頁 92。

可能提供給我們一些啓示。

雖然《三國志》<魏書王粲傳>注引《世語》曾提及「太和四年，(吳質)入為侍中。時司空陳群錄尚書事，帝初親萬機，質以輔弼大臣，安危之本，對帝盛稱『驃騎將軍司馬懿，忠智至公，社稷之臣也。陳群從容之士，非國相之才，處重任而不親事。』帝甚納之。明日，有切詔以督責群，而天下以司空不如長文。」[52]這個記載既稱司空錄尚書事為重任，是否即能証明司空的重要地位？似仍未足夠，因爲重任究指爲何？司空或錄尚書事？同時既稱陳群「處重任」，卻「不親事」，甚至陳群因不親事以致被質疑，則不管司空或錄尚書事，不管是否真的重任，在陳群擔任期間則並未發揮作爲重任的地位，這應可以確定，換句話說，即陳群並未讓司空改變地位；更重要者明帝在第二日即下詔責問，則陳群在朝廷的地位、或在明帝心中的地位，是不得不令人產生疑問。

再者，我們在陳群任司空期間，似乎找不到他對政治上有何重大影響的記載，《三國志》<魏書陳群傳>載明帝即位後，陳群曾上疏言教化、伐蜀、對追封謚平原懿公主及營治宮室等提出建言，其用的途徑則與一般朝

[52] 《三國志》，卷 21<魏書・王粲傳>，頁 610。

臣無異——上奏，其中明帝有接納也有不理會，似乎看不出其有如何重要的影響，所以我們比較相信陳群擔任司空期間並未改變前述司空處於虛職的地位。

其次就前面討論司徒時曾提及王淩在正始九年爲司空。王淩是司空中較特別的一個，他在司空任內曾參與高平陵事件，之後又轉遷爲太尉[53]，成爲這段時期最有權勢的一個司空；但本文認爲這只是王淩的特殊狀況，並不等於「司空是虛職」這個假設的反証。王淩入爲司空前是車騎將軍，《三國志》<魏書王淩傳>尚有「是時淩外甥令狐愚以才能為兗州刺史，屯平阿。舅甥並典重兵，專淮南之任。淩就遷為司空。司馬宣王既誅曹爽，進淩

---

[53] 前引盧建榮文章中認爲王淩屬變法派，與司馬懿爲首的反變法對抗，因此認定他不會參與對曹爽的政變；然而此處覺得這個說法有疑問，理由一司馬懿與王淩可能有某種程度的關係，<魏書王淩傳>載「淩與司馬朗及賈逵友善。」司馬朗爲司馬懿的哥哥，則司馬懿與王淩起碼也應該認識；理由二在事變後王淩進位太尉，太尉是三公中地位較特別的一個，下面論及太尉時將有詳論；然而最後說事變後王淩起兵反抗司馬懿，原因爲何？《三國志》<毌丘儉傳>注引文欽與郭淮書曰「王太尉嫌其（司馬懿）專朝，潛欲舉兵」[53]，似非與曹爽有關，是否就如同盧建榮文中所推測有關太尉蔣濟般，事後後悔，但蔣濟發病而亡，王淩則起兵反抗，我們不要忘記王淩是有專淮南之任的地位；其實就事變後的情形，連司馬孚也有看不過去的事，這件事情時間上雖較晚，也可作爲參考的旁証，《晉書》<安平獻王孚傳>載「及高貴鄉公遭害，百官莫敢奔赴，孚枕尸於股，哭之慟……孚性至慎，宣帝執政，常自退損，後逢廢立，未嘗預謀。景文二帝以孚屬尊，不敢逼。」[53]可見司馬懿在嘉平後之作爲，似有令很多人不滿的地方。

為太尉，假節鉞。」[54]如果前面論說司空屬清望之官，不具對實際政治的影響力是確定的話，則王淩既已專淮南之任，何以要出任此職？而且王淩任司空後不久即發生高平陵事件，讓人自然聯想到他的出任司空，很有可能只是爲了回中央，就近方便參與事變而已。無論如何，王淩在司空任內不論有無實權，應都只是一個特例，並沒有改變司空一職是虛職的情況。

至於往後的司空人選，除諸葛誕外，包括孫禮、司馬孚，鄭沖、盧毓、王昶、王觀及王祥，都不見任職司空後有重要表現，孫禮爲司空二年即死[55]，鄭沖則以教導高貴鄉公讀尙書爲主[56]，盧毓則以疾病自尙書僕射遜位轉司空[57]，王昶任官一年即死[58]，也不見其有何作爲，王祥及荀顗皆在魏末時期，在書傳中也看不出有何影響[59]，至《晉書》<安平獻王孚傳>記司馬孚因「**大將軍曹爽擅權……孚不視庶事，但正身遠害而已。及宣帝誅爽，孚與景帝屯司馬門，以功進爵長社縣侯，加侍中。」**[60]可見其與曹爽及司馬懿之關係，諸葛誕前已論及，不再重複。

---

[54] 《三國志》，卷 28<魏書・王淩傳>，頁 758。
[55] 《三國志》，卷 24<魏書・孫禮傳>，頁 693。
[56] 《晉書》，卷 33<鄭沖傳>，頁 992。
[57] 《三國志》，卷 22<魏書・盧毓傳>，頁 652。
[58] 《三國志》，卷 27<魏書・王昶傳>，頁 750。
[59] 《晉書》，卷 33<王祥傳>，頁 988。《晉書》，卷 39<荀顗傳>，頁 1150。
[60] 《晉書》，卷 37<安平獻王孚傳>，頁 1083。

基於以上的論証，我們似乎沒有足夠資料可以証明太保、司徒及司空等，在曹魏時期是具有重要影響力，除去一些特例，因此我們可以說這三個職位確屬虛職，不預實政。

第二節　大司馬

曹魏一朝任大司馬者三人，即曹仁、曹休及曹真[61]，就從擔任的人看來似乎就頗堪玩味，爲甚麼都是曹氏之人出任？可能跟大司馬的職權有很大的關係，《晉書》<職官志>載「大司馬，古官也，漢制以冠大將軍、驃騎、車騎之上，以代太尉之職，故恆與太尉迭置，不並列。及魏有太尉，而大司馬、大將軍各自為官，位在三司上。」[62]《宋書》<百官志>則記「太尉一人，自上安下曰尉，掌兵事。」[63]所以大司馬一職主要掌武事，負責行軍打仗，如曹仁於黃初二年爲大司馬，即負責「督諸軍據烏江，還屯合肥。」[64]又如曹休，在明帝即位時敗吳將韓綜、翟丹，遷爲大司馬，仍都督揚州，至太和二年與司馬懿分道征吳[65]，皆爲領軍之將領；曹真更以大破馬謖，解諸葛亮之圍而遷大司馬，並聯合司馬懿攻蜀，遇雨詔還[66]，從以上可見大司馬確實掌握兵權。就如曾資生所言，「魏晉

---

61 《三國志》，卷 3<魏書・明帝紀>雖記「以（公孫）淵為大司馬樂浪公。」應只爲攏絡公孫淵之手段，並不具備對曹魏政治產生影響的後果。頁 101。

62 《晉書》，卷 24<職官志>，頁 725。

63 《宋書》，卷 39<百官志>上，頁 1218。

64 《三國志》，卷 9<魏書・曹仁傳>，頁 276。

65 《三國志》，卷 9<魏書・曹休傳>，頁 279。

66 《三國志》，卷 9<魏書・曹真傳>，頁 281-282。

大司馬均握兵馬實權，非同三公虛職。」[67]又如楊德炳在＜試論曹操政權的性質＞一文中列舉張遼、樂進等 12 人「雖然都領有不同數量的士兵，擁有不同程度的軍權，並且都是曹操的名將，南征北戰，卓有勛勞；但他們一般都得受曹氏和夏侯氏的都督。」[68]更可証明夏侯氏和曹氏在軍中的地位，則專以曹氏任大司馬一職，其特殊性可以想見。

由於大司馬掌握兵權，其對曹魏政權的重要性更可以透過明帝與孫資的對話知其梗概，這段話很重要，雖然稍長也只有抄錄於此：

「帝詔資曰：『吾年稍長，又歷觀書傳中，皆歎息無所不念圖萬年後計，莫過使親人廣據職勢，兵任又重。今射聲校尉缺，久欲得親人，誰可用者？』資曰『陛下思深慮遠，誠非愚臣所及，書傳所載，皆聖聽所究，向使漢高不知平、勃能安劉氏，孝武不識金、霍付屬之事，殆不可言！文皇帝始召曹真還時，親詔臣以重慮，及至晏駕，陛下即阼，猶有曹休外內之望，賴遭日月，御勒不復，使各守分職，纖介不間。以此推之，親臣貴戚，雖當據勢握兵，

[67] 曾資生，＜魏晉南北朝＞，頁 83-84。
[68] 楊德炳，＜試論曹操政權的性質＞，《中國古代史論》，1982：3（1982.3），頁 63-64。楊氏所列 12 人爲張遼、樂進、于禁、張郃、徐晃、文聘、典韋、李典、李通、臧霸、呂虔及許褚。

宜使輕重素定。若諸侯典兵，力均衡平，寵齊愛等，則不相為服；不相為服，則意有異同，今五營所領見兵，常不過數百，選授校尉，如其輩類，為有疇匹。至於重大之任，能有所維綱者，宜以聖恩簡擇，如平、勃、金、霍、劉章等一二人，漸殊其威重，使相鎮固，於事為善』」[69]

從這段話我們可以得到以下的了解；第一明帝認爲要國家長遠，只有以親屬廣據要職且握有兵權；孫資則認除此之外，更要有一人能統籌全局，安撫內外，不然親屬相爭，則後果堪慮，孫資更舉曹休爲例，曹休即在文帝崩時以征東大將軍輔政，明帝即位拜大司馬，益可証明曹休之地位在「能有所維綱者」上，大司馬曹休之重要性可知。

至大司馬的地位，前引《晉書》＜職官志＞稱「位在三司上」，可見其地位之隆重，甚至曹爽欲以虛位予司馬懿，以遂其專政之心時，也曾考慮授以大司馬一職[70]，最後授與太傅以奪其權。這部份其實又牽涉到兩個問題，一是大司馬的權力也可能不是絕對的，不然曹爽爲何認定這樣可收司馬懿之權柄；其次則可能無關大司馬，因爲曹爽最在意是收司馬懿參與尙書臺之權而已，

---

69 《三國志》，卷 14＜魏書．劉放傳＞注引《資別傳》，頁 460-461。

70 《三國志》，卷 9＜魏書．曹爽傳＞注引《魏書》，頁 283-284。

非大司馬如此重職何以交換？當然最後以太傅代大司馬，應該還是考慮到大司馬一職過於重要，故改授太傅？但不管如何，在曹真去世前，大司馬一職皆領有軍權，非屬虛職如司徒、司空及太保等可比。

最後還有一個值得注意的問題，曹仁等三人因爲是曹氏家族的成員，更因當時戰爭無數，故授此職以領兵打仗。問題是自曹真以後，大司馬一職不復再置，難道曹魏就不用面臨對外的戰爭嗎？事實上曹真在明帝太和五年去世[71]，往後曹魏對外戰爭卻仍持續著（明帝青龍元年即有鮮卑大人步度根的叛變[72]，青龍二年又有諸葛亮出斜谷[73]，還有多次與吳人的戰爭），所以曹真後的曹魏政權，並未從此偃鼓息兵，反而是戰爭不斷。此一職位往後不再復置，則領軍作戰的責任誰屬？這裡尚牽涉到軍權的問題，楊德炳在＜試論曹操政權的性質＞一文中就曾提及「曹氏政權的支柱——軍隊是在曹氏及其親屬夏侯氏的私人武裝的基礎上逐步擴大起來的，故軍事領導權一直掌握在曹氏和夏侯氏的手中。」[74]則自曹真以後軍權如何安排？前引明帝與孫資對話中，關於「能有所維綱者」又以誰接任？這裡有繼續追蹤的必要。

---

[71] 《三國志》，卷 3＜魏書・明帝紀＞，頁 98。
[72] 《三國志》，卷 3＜魏書・明帝紀＞，頁 99。
[73] 《三國志》，卷 3＜魏書・明帝紀＞，頁 103。
[74] 楊德炳，＜試論曹操政權的性質＞，《中國古代史論》，1982.3，頁 58-73。

第三節 大將軍、太尉、太傅及相國

（一）大將軍

關於大將軍，在曹操時已具有特別的地位，我們不會忘記在建安元年曹操挾天子至許時，即拜曹操爲大將軍，後以袁紹爲太尉，卻因袁紹「恥班在公下」，曹操以大將軍讓紹的故事[75]，難怪《宋書》<百官志>記「漢東京大將軍自為官，位在三司上。」然而《宋書》接著的記載卻有令人不解的地方，「魏明帝青龍三年，晉宣帝(司馬懿）自大將軍為太尉，然則大將軍在三司下矣。其後又在三司上。晉景帝為大將軍，而景帝叔父孚為太尉，奏改大將軍在太尉下，後還復舊。」[76]這段史料似清楚記載大將軍的地位發展過程。然考於史實，卻仍有不明確的地方，如正始元年，曹爽爲大將軍，上奏薦太尉司馬懿爲大司馬或太傅時，即曾說「今臣虛闇，位冠朝首……懿本以高明中正，處上司之位，名足鎮眾……臣以為宜以懿為太傅、大司馬」云云[77]，大將軍又似比太尉爲高，然而司馬懿卻又是從大將軍轉爲太尉，所以到底他們兩者的地位如何，卻因資料不足無法確知。不過有一點是肯定的，大將軍在朝廷中應是具有一定的重要性，起碼

---

[75] 《三國志》，卷 1<魏書・武帝紀>，頁 13-14。
[76] 《宋書》，卷 39<百官志>上，頁 1220。
[77] 《三國志》，卷 9<魏書・曹爽傳>，頁 283。

在魏明帝時期，試看明帝病篤之時，先後以燕王宇及曹爽爲大將軍輔政可知[78]。

另外還有一個值得一提的地方，曹魏一朝除大將軍一職外，尚有一些加名的大將軍，如陳群及司馬懿曾分別擔任鎮軍大將軍及撫軍大將軍等[79]，有加此等名銜之大將軍，其地位似不及大將軍，我們試看明帝時中軍大將軍曹真調遷大將軍即知[80]。

至其職權，據《宋書》＜百官志＞所載「**凡將軍皆掌征伐**」[81]，考曹魏時期的大將軍，職任一如所載，皆以征伐爲主[82]。《晉書》＜宣帝紀＞謂「**尚書鄧颺、李勝等欲令曹爽建立功名，勸使伐蜀……無功而還。**」[83]曹爽爲何要立功名？就如他自己所說「**臣（曹爽）抱空名而處**

---

[78] 《三國志》，卷 3＜魏書．明帝紀＞及注引《漢晉春秋》，頁 113。

[79] 《三國志》，卷 2＜魏書．文帝紀＞，頁 85。

[80] 《三國志》，卷 3＜魏書．明帝紀＞，頁 92。

[81] 《宋書》，卷 39＜百官志＞上，頁 1219。

[82] 《三國志》，卷 2＜魏書．文帝紀＞載曹仁爲大將軍斬叛將鄭甘，頁 78。《三國志》，卷 3＜魏書．明帝紀＞曹真於太和二年都督關右，並進兵，頁 94。《三國志》，卷 3＜魏書．明帝紀＞記青龍二年諸葛亮出斜谷，大將軍司馬宣王率諸軍拒之，頁 103。《三國志》，卷 4＜魏書．三少帝紀＞載齊王芳正始五年詔大將軍曹爽率眾征蜀，頁 120。《三國志》，卷 4＜魏書．三少帝紀＞載高貴鄉公正元二年毌丘儉、文欽反，大將軍司馬景王征之，頁 132-133。《三國志》，卷 4＜魏書．三少帝紀＞載高貴鄉公甘露二、三年諸葛誕反，司馬文王率兵征討，頁 141。

[83] 《晉書》，卷 1＜宣帝紀＞，頁 15。

其右，天下之人將謂臣以宗室見私，知進不知退。」[84]可見其以大將軍輔政，卻沒有功勛是會爲天下閒話的，從此我們更可見大將軍一職之特點。

另外就大將軍的掾屬問題，《宋書》<百官志>記「晉景帝為大將軍，置掾十人，西曹、東曹、戶曹、倉曹、賊曹、金曹、水曹、兵曹、騎兵各一人。」[85]《三國職官表》中長史增置左右，司馬增一人爲二人，從事中郎增二人爲四人，及西曹掾等十曹爲司馬師任大將軍時置[86]，這些增設的員額，我們要注意的其實是他們設置的時間，是在司馬師爲大將軍時期（參附表八：司馬師、昭任大將軍時掾屬一覽表），爲甚麼司馬師爲大將軍要增設員額？目的何在？也有進一步追蹤的必要。不過這裡先對大將軍作一總結，亦即大將軍實非虛銜，外振撫邊疆，內輔政勤王似乎是大將軍一職的特點。

（二）、太尉

從上面對大司馬及大將軍之分析，似是前期掌握曹家軍權的重要職位，大司馬似猶在大將軍之上，然而大司馬至曹真而止，則曹魏自明帝以後軍權的掌握落在誰

---

[84] 《三國志》，卷 9<魏書・曹爽傳>注引《魏書》，頁 283。
[85] 《宋書》，卷 39<百官志>上，頁 1221。
[86] 洪飴孫《三國職官表》，頁 2739。

的手上？這裡認爲可能與太尉有關，讓我們先從其職權開始了解；就《漢書》＜百官公卿表＞、《續百官志》及《宋書》＜百官志＞所記皆類同，即掌武事[87]，我們如果以此標準來檢視曹魏時期的太尉，會發現一個有趣的情形，即曹魏時期的太尉，可分爲前後兩階段，前者雖有軍職，卻不諳軍事，也不熱衷軍事，後者則反之，兩階段的分野即在司馬懿身上。

在司馬懿前爲太尉者有三人，即賈詡、鍾繇及華歆，這三人雖任太尉，卻跟武事不甚相涉，賈詡之爲太尉，實因助曹丕取得帝位，「故即位首登上司」[88]，然其對武事似不甚贊同，文帝曾問詡征吳、蜀之事，其回答則重德化、先文後武，故文帝不納其意見[89]；其次爲鍾繇，也似與武事無涉，且其時太尉一職更不見其重要性，觀太尉鍾繇數月不朝會即知[90]；最後爲華歆，他本想遜位於管寧，不得已而爲之，但對武事似也不甚贊同，其時明帝命曹真伐蜀，華歆上書勸阻可証[91]；可見在司馬懿前的太

---

[87] 《漢書》，卷 19 上＜百官公卿表＞，頁 725。《續百官志》，志 24＜百官一＞，頁 3557。《宋書》，卷 39＜百官上＞，頁 1218。

[88] 《三國志》，卷 10＜魏書．賈詡傳＞載賈詡一言而太祖定太子之選，注引《魏略》曰「文帝得詡之對太祖，故即位首登上司」，頁 331。

[89] 《三國志》，卷 10＜魏書．賈詡傳＞，頁 331。

[90] 《三國志》，卷 13＜魏書．鍾繇傳＞注引《異林》曰「繇嘗數月不朝會。」，頁 396。

[91] 《三國志》，卷 13＜魏書．華歆傳＞，頁 405。

尉，一不重武事，二更似不具影響力，但這樣的情形至司馬懿後改變。

先就司馬懿本身看，他可是經歷征戰殺伐後而爲太尉[92]，爲甚麼前此的太尉都與武事無涉，至司馬懿而爲一大轉變，是否與前述不復置大司馬有關？賈詡等不涉武事正因當時軍事方面有曹氏家族主持，太尉是三公之一（前已述魏初三公稀與朝政，只有清望之位而無關實政），至曹真死，曹氏家族武將後繼無人，這裡所謂的武將是指前面討論大司馬時引明帝及孫資的對話中所指「能有所維綱者」；同時，明帝、劉放及孫資確實希望司馬懿成爲「能有所維綱者」的身份，《三國志》<魏書劉放傳>載明帝寢疾，劉放及孫資「深陳宜速召太尉司馬宣王，以綱維王室。」[93]縱然劉放及孫資因個人的關係過份推崇司馬懿，可是明帝應是也希望司馬懿成爲這樣的人；因此在軍事對抗未曾停止的情形下，只有重用元勳宿將即司馬懿，以其領兵作戰，完成所需的軍事行動，《晉書》<良吏魯芝傳>記「曹真（時為大司馬）出督關右……真薨，宣帝（司馬懿）代焉。」[94]

但對「能有所維綱者」而言，明帝似對司馬懿多方

---

[92] 《晉書》，卷 1<宣帝紀>，頁 1-22。
[93] 《三國志》，卷 14<魏書・劉放傳>，頁 459。
[94] 《晉書》，卷 90<良吏魯芝傳>，頁 2328。

的考慮，《三國志》<魏書陳矯傳>注引《世語》記「帝憂社稷，問矯『司馬公忠正，可謂社稷之臣乎？』矯曰『朝廷之望，社稷，未知也。』」[95]不知是否因爲這樣，在明帝選擇顧命大臣時，司馬懿在第一輪中並未入選，後因劉放及孫資的影響，才改變明帝的決定，但明帝似仍對司馬懿不太放心，同書<劉放傳>載「帝問放、資『誰可與太尉對者？』放曰『曹爽。』帝曰『堪其事不？』」[96]可見明帝對選擇司馬懿還有不放心，希望能找一個能與其抗衡的人，甚至對劉放推舉的曹爽也擔心其能否勝任？既有這樣的顧慮而不願意授司馬懿以大司馬，自然要考慮其他的替代方案：據《晉書》<職官志>稱「大司馬……漢制以冠大將軍、驃騎、南騎之上，以代太尉之職，故恆與太尉迭置。」[97]《續百官志》更記曰「太尉……世祖即位，為大司馬。建武廿七年，改為太尉。」[98]在兩漢時大司馬與太尉似有相互替補的功能。因此「太尉」一職成爲新的選擇。

諷刺的是最後改變曹魏政權發展的仍是司馬懿，司馬懿讓太尉一職在中央政務機關中，重新獲得重要性。我們又一次看到人事對制度的影響，職位雖一，擔任的

---

[95] 《三國志》，卷 22<魏書．陳矯傳>，頁 644。
[96] 《三國志》，卷 14<魏書．劉放傳>注引《世語》，頁 460。
[97] 《晉書》，卷 24<職官志>，頁 725。
[98] 《續百官志》，志 24<百官一>，頁 3557。

人不同，獲得的權柄也大不同。

自後的太尉如滿寵、蔣濟及王淩，即爲久歷戰場之任，司馬孚爲司馬懿弟弟，在高平陵中幫司馬懿成功，《晉書》＜安平獻王孚傳＞載「大將軍曹爽擅權……孚不視庶事，但正身遠害而已。及宣帝誅爽，孚與景帝屯司馬門。」[99]似也能帶兵作戰，至於高柔較特別，如同前引盧建榮所說，是司馬懿答謝高柔在高平陵事件中的支持而授與。鄧艾是因平蜀有功進位太尉，雖然旋即被殺，不影響他的身份，至於最後王祥，實因已臨曹魏末期，其時的政治發展大抵在司馬氏之篡奪，這方面已不是重心所在。所以即自司馬懿起，太尉的人選回到與這個職務相關的人士擔任，即有實戰經驗之人的手上。

（三）太傅

司馬懿在正始元年轉任太傅，先不論其爲太傅之原因，此處所重視者爲太傅一職的前後演變過程，雖然曹魏一朝任太傅僅三人，即鍾繇、司馬懿及司馬孚，但比較鍾繇及司馬懿後會發現其職權的轉變還是在司馬懿身上；我們先看鍾繇爲太傅，時爲明帝新即位，大抵只是新君賞賜舊臣的方法，前已述及鍾繇在擔任太尉時即無

[99] 《晉書》，卷 37＜安平獻王孚傳＞，頁 1083。

甚重要之影響力，至爲太傅除上奏言刑法外，並未見在其他方面有何影響，至太和四年去世。

反觀司馬懿，雖然他爲太傅是曹爽欲奪其權之結果[100]，但其掌握太尉時的軍權似沒有改變，因爲雖然轉任太傅，但仍「持節統兵都督軍事如故」[101]，所以其對軍權的掌握未曾稍減，試看正始元年，率兵眾拒吳將朱然等、四年又擊諸葛恪、又議興屯守、開渠運以利軍事等[102]，曹爽也明白其中的問題，故亦欲立功名，收兵權，削弱司馬懿的勢力，試觀其伐蜀、毀中壘中堅營、以兵屬其弟中領軍曹羲等即知[103]，甚至一度迫使司馬懿稱疾不朝，但最終敗於高平陵事件，司馬懿盡廢曹爽黨羽，再度掌政。

爲什麼司馬懿被放逐到太傅這樣一個閒職，仍能反敗爲勝？這中間可能還牽涉一個問題，即曹爽專政的時間究有多長？因爲時間長可以改變所有的政治情勢，一般認爲正始年間爲曹爽的重要掌政時期，但正始有九年之長，曹爽真正專制朝政又有多久？即如前述在齊王芳

---

[100] 《三國志》，卷 9<魏書．曹爽傳>載齊王即位，曹爽「發詔轉宣王為太傅，外以名號尊之，內欲令尚書奏事，先來由己，得制其輕重也」，頁 282。

[101] 《三國志》，卷 9<魏書．曹爽傳>載齊王芳詔，頁 282。

[102] 《晉書》，卷 1<宣帝紀>，頁 14-15。

[103] 《三國志》，卷 9<魏書．曹爽傳>，頁 283。尚可參看《晉書》，卷 1<宣帝紀>，頁 15。

即位時，曹爽爲欲制其輕重，即轉司馬懿爲太傅，但司馬懿並未因此失去掌握軍權的機會；其次書中也記「初，爽以宣王年德並高，恆父事之，不敢專行。及（何）晏等進用，咸共推戴，說爽以權重不宜委之於人……諸事希復由宣王，宣王遂稱疾避爽，晏等專政。」[104]可見開始曹爽及司馬懿尚有一段合作的時期，甚至爲時所稱[105]，到何晏等進用，曹爽與司馬懿的關係才改變，雖然沒有直接証據証明何晏等何時被進用，但司馬懿稱疾不與朝政是在正始八年五月的時侯[106]，則曹爽真正專政可能不是整個正始年間，如果我們以掌領軍隊的情形來看，正始五年可能是一個分界線，因爲正始四年司馬懿尚「督諸軍擊諸葛恪」，甚至正始五年「至自淮南，天子使持節勞軍」，同時曹爽伐蜀，明年又「毀中壘中堅營，以兵屬其弟中領軍羲」[107]，所以正始五年可能是一個轉捩點，但司馬懿尚要到八年才「稱疾不預朝政」，則曹爽真能專政時間可能也不長，這也許可以讓我們對司馬懿何以被曹爽專政後，尚能反撲打敗曹爽的問題上，得到一些啓示。

更重要者我們當注意太傅的府屬也有所改變，《藝文

---

[104] 《三國志》，卷 9＜魏書・曹爽傳＞，頁 284。

[105] 同前註注稱「初，宣王以爽魏之肺腑，每推先之，爽以宣王名重，亦引身卑下，當時稱焉。」

[106] 《晉書》，卷 1＜宣王紀＞，頁 16。

[107] 同前註，頁 15。

類聚》引《宋書》及《太平御覽》有「晉宣帝為魏太傅，誅曹爽後，置左右長史、掾、屬、舍人各十人，事既非常，加又領兵，非准例也。」[108]（附表九：司馬懿爲太傅時之掾屬一覽表）這是一個非常重要的改變，不止關係到太傅掾屬增減及掾屬多少的問題，而是他這一舉動，與曹操爲司空時擴張其掾屬是否有類似之處？這才是我們應特別關注的焦點。司馬懿在嘉平三年去世，司馬師以衛將軍拜撫軍大將軍錄尚書事，嘉平四年轉拜大將軍[109]，前面在討論大將軍時就注意到司馬師增置掾屬的問題，如果與此合看，我們大可以懷疑司馬懿及司馬師的增掾屬是一貫的政策，目的即在擴大自己的勢力，是學習曹操爲司空及丞相時的辦法。

（四）相國

最後爲相國，曹魏一朝任相國者四人，即鍾繇[110]、華歆[111]、司馬昭[112]及司馬炎[113]，在時間上有值得注意的

---

108 《藝文類聚》，卷 46<職官部二>，（上海：上海古籍，1999.5），頁 824。

109 《三國志》，卷 4<魏書・齊王芳紀>，頁 124-125。

110 《三國志》，卷 1<魏書・武帝紀>載建安廿一年，「以大理鍾繇為相國」，頁 47。

111 《三國志》，卷 2<魏書・文帝紀>載延康元年「御史大夫華歆為相國」，頁 58。

112 《資治通鑑》，卷 78<魏紀十>載景元四年「復命大將軍昭進位，爵賜一如前詔，昭乃受命。」注稱「始受相國，晉公，九錫之命」，

地方，即鍾繇及華歆皆在建安年間及延康元年，黃初元年相國即更名司徒，往後至甘露五年及咸熙二年才有司馬昭、司馬炎爲相國，其間文帝爲何要改變曹操所建立的制度？就如《宋書》＜百官志＞所言「**自魏、晉以來，非復人臣之職。**」[114]曹丕當然了解這種情形，故即位後就從基本著手改變，廢丞相行三公，以分丞相之權。

其實早在建安廿一年鍾繇爲魏國相國，及延康元年的相國華歆，並未見對政事有何重要影響，甚至掾屬及組織也不見有何記載，只在鍾繇時有魏諷事件，也因此讓鍾繇免相國官[115]。同時也由於資料所限，此二人爲相國的部份也只能討論至此，下面有更值得注意者爲司馬昭及司馬炎爲魏相國的部份。

就當時整國曹魏政權的情形看，權移司馬氏已成定局，司馬氏進行篡魏也有公論，毋庸多言，此處只想就他們的做法作一研究，以明權臣篡弒是否有一定的程序。上章討論曹操時我們知道他是以司空及丞相的掾屬作爲建立領導班底的途徑，上文討論大將軍、太尉及太傅時，司馬懿及司馬師即沿用此方法建立其領導架構，

頁 2469。

[113] 《晉書》卷 3＜世祖武帝紀＞（台北：鼎文書局，民 72 年）載咸熙二年「**文帝崩（司馬昭），太子嗣相國、晉王位。**」，頁 49。

[114] 《宋書》，卷 39＜百官志＞上，頁 1218。

[115] 《三國志》，卷 13＜魏書．鍾繇傳＞，頁 395。

司馬昭及司馬炎似乎是利用相國掾屬以成就此一目的。

《宋書》＜百官志＞記「魏元帝咸熙中，晉文帝為相國，相國府中置中衛將軍、驍騎將軍、左右長史、司馬、從事中郎四人、主簿四人，舍人十九人，參軍二十二人，參戰十一人，掾屬三十三人。散屬九人，凡四十二人。」[116]另據《三國職官表》所列擔任各掾屬的人士作分析（參附表十：司馬氏爲曹魏相國時掾屬一覽表），在全部找到記錄的 32 位掾屬中，後來都轉任晉國官員者有 15 位，佔 46.87% 接近半數，如果連太傅 3 人有 1 人，大將軍掾屬 10 人中有 7 人，即全部 44 人中有 23 人（荀勖在大將軍及相國都有出現，只算一人次），佔 52.27% 超過半數的大將軍及相國掾屬後來都任職晉朝。

我們是否可以說司馬氏在誅曹爽後，政權大抵掌握在手中，即沿著曹操的方法，一方面擴充其勢力範圍，一方面在任用掾屬上建立自已的領導班底。同時，相國的掾屬在地位上有其重要性，似乎已成司馬家族掌控朝政的領導中心之一，試看《晉書》＜羊祜傳＞載羊祜「拜

---

[116] 《宋書》，卷 39＜百官志＞上，其中掾屬指「東曹掾、屬各一人，西曹屬一人，戶曹掾一人，屬二人，賊曹掾一人，屬二人，金曹掾、屬各一人，兵曹掾、屬各一人，騎兵掾二人，屬一人，車曹掾、屬各一人，鎧曹掾、屬各一人，水曹掾、屬各一人，集曹掾、屬各一人，法曹掾、屬各一人，奏曹掾、屬各一人，倉曹屬二人，戎曹屬一人，馬曹屬一人，媒曹屬一人，合三十三人」，頁 1222。

相國從事中郎，與荀勖共掌機密。」[117]又《晉書》＜山濤傳＞載濤爲大將軍從事中郎，文帝（司馬昭）西征蜀，「時魏氏諸王公並在鄴，帝謂濤曰：『西偏吾自了之，後事深以委卿。』」[118]《晉書》＜魏舒傳＞載魏舒「轉相國參軍，封劇陽子。府朝碎務，未嘗見是非；至於興廢大事，眾人莫能斷者，舒徐為籌之。」[119]《晉書》＜荀勖傳＞載「參文帝大將軍軍事……與裴秀、羊祜共管機密。」[120]可見軍國政務以至廢立大事，掾屬皆扮演著重要角色。

另外，司馬昭更在咸熙二年，於「晉國置御史大夫、侍中、常侍、尚書、中領軍、衛將軍官。」[121]其中只找到尚書令爲裴秀、御史大夫爲王沈及衛將軍賈充[122]，這部份由於司馬昭隨後即去世，司馬炎繼王位後也隨即篡魏，造成資料缺乏，未能納入研究範圍。

---

117 《晉書》，卷 34＜羊祜傳＞，頁 1014。
118 《晉書》，卷 43＜山濤傳＞，頁 1224。
119 《晉書》，卷 41＜魏舒傳＞，頁 1186。
120 《晉書》，卷 39＜荀勖傳＞，頁 1152-1153。
121 《晉書》，卷 2＜文帝紀＞，頁 44。
122 《晉書》，卷 35＜裴秀傳＞，頁 1038。

第四節 諸公官綜合分析

根據上面的論証，我們可以認為在眾多的諸公官中，除大司馬、大將軍外，其他在明帝以前都是屬於虛職，不預實政，大司馬及大將軍因負有作戰的任務，所以較特別的擁有實權，但曹氏為防止軍權旁落，都以曹氏家族擔任此一職官。

至明帝時大司馬曹真去世，曹氏將材後繼無人，故而改以司馬懿為大將軍，繼續行軍作戰，並委以太尉一職，改變前此太尉清望之位，專事征伐。明帝去世時以曹爽為大將軍，即欲平衡司馬懿之權勢；曹爽後以司馬懿為太傅，更欲奪其權限，但司馬懿為太傅後仍有其影響力，更積極部署，最後高平陵事件讓司馬懿重新握權，後來司馬師、司馬昭任大將軍及相國，都屬位尊權重，並從司馬懿起，再度改變太傅、大將軍及相國等掾屬之組織架構，建立領導班底，最後篡魏自立，曹魏滅亡。

在這個過程中，太傅、太尉等職位之重要性相繼重現，至令後人對曹魏時期諸公官的地位不能明晰，其實關鍵在司馬懿身上，職位的重要性相對較低。所以我們又再一次強調，制度是死的，人是活的，人的變化常促成制度的變遷，人事變化迅速，制度當然也就跟著不穩定，後人便難以看清當時真貌。

附表八：司馬師、昭任大將軍時掾屬一覽表

（司馬師在嘉平四年任司馬昭在正元二年爲大將軍）

（資料來源以洪飴孫＜三國職官表＞爲主）

時間	官名	人名	籍貫	入晉後官位	備註
正元初置左右	長史一人	（左）司馬璉			
		（右）賈充	平陽襄陵	車騎將軍	晉書賈充傳頁1165-1166
		（右）李憙	上黨銅鞮	司隸校尉	晉書李憙傳卷41頁1188
景元四年	司馬二人	胡奮	安定臨涇	護軍加散騎常侍	三國志諸葛誕傳頁773晉書胡奮傳頁1556
		賈充			
		李熹			
景元四年增置	從事中郎四人	阮籍			
		李			
		武陔	沛國竹邑	尙書	晉書武陔傳頁1284
		鍾會	穎川長社	咸熙兀年反於蜀敗亡	三國志鍾會傳頁794
		李允			
		荀勖	穎川穎	中書監加	晉書荀勖傳頁

			陰	侍中	1152
		山濤	河內懷人	守大鴻臚	晉書山濤傳頁1224
	主簿				
	參軍	賈充			
		荀勖			
	記室				
以下十曹皆司馬師爲大將軍時置	西曹掾				
	東曹掾				
	戶曹掾				
	倉曹掾				
	賊曹掾				
	金曹掾				
	水曹掾				
	兵曹掾				
	騎兵掾				
	鎧曹掾				
	營軍都督				
	刺姦都督				
	帳下都				

	督				
景元四年增置	舍人十四人				

附表九：司馬懿爲太傅時之掾屬一覽表

（資料來源以洪飴孫＜三國職官表＞爲主）

時間	官名	人名	籍貫	入晉後官位	備註
嘉平二年增置左右	左右長史				晉書宣帝紀頁 19
正始末嘉平元年	從事中郎	傅嘏	北地泥陽	高貴鄉公正元二年薨	三國志傅嘏傳頁 627
嘉平中		盧欽	范陽涿人	都督沔北諸軍事、平南將軍	晉書盧欽傳頁 1255
嘉平中		阮籍	陳留尉氏	魏元帝景元四年卒	晉書阮籍傳頁 1359-1361
	主簿				
嘉平二年增置	掾屬舍人十人				晉書宣帝紀頁 19

附表十：司馬氏爲曹魏相國時掾屬一覽表

（資料來源以洪飴孫＜三國職官表＞爲主）

時間	官名	人名	籍貫	入晉後官位	備註
☆咸熙元年	中衛將軍	龐會			
	驍騎將軍				
咸熙元年	軍師	山濤			
	左右長史	陳騫	臨淮東陽	車騎將軍	晉書陳騫傳頁1035-1036
		張華	范陽方城	黃門侍郎	晉書張華傳頁1068-1070
景元初		孫該（右）			孫劭傳注文章敘錄
咸熙初		山濤（左）			晉書
咸熙二年	左右司馬	夏侯和（左）	沛國譙人		咸熙二年紀
		陳騫			
☆咸熙元年	從事中郎	山濤	河內懷人	守大鴻臚	晉書山濤傳頁1224
		羊祜	泰山南城	中軍將軍	晉書羊祜傳頁1013-1014

咸熙時	主簿	劉毅	東萊掖人	尙書郎	晉書劉毅傳頁 1271-1272
咸熙時		郭奕	太原陽曲	中庶子	晉書郭奕傳頁 1288-1289
咸熙元年	參軍	徐紹			咸熙元年紀
		郭豫			郭淮傳注晉諸公贊
		耿融			華陽志
		董厥	義陽人		蜀志諸葛亮傳頁 933
		樊建	義陽人		蜀志諸葛亮傳頁 933
		劉邁			晉書劉琨傳
		魏舒	任城樊人	宜陽、滎陽二郡丸守	晉書魏舒傳頁 1185-1186
		劉寔	平原高唐	少府	晉書劉寔傳頁 1190-1196
		杜預	京兆杜陵	泰始中守河南尹	晉書杜預傳頁 1025-1026
		司馬楙			晉書
		孔顥			晉書唐彬傳
		王深			晉書荀勖傳
☆咸熙元年	參戰				

	西曹屬	邵悌	陽平		三國志鍾會傳頁 794
咸熙元年後置	東曹掾				
咸熙元年後置	戶曹掾				宋志
☆咸熙元年	金曹掾				宋志
☆咸熙元年	賊曹掾				宋志
咸熙元年後置	兵曹掾				
☆咸熙元年始置	騎兵掾				宋志
		（屬）朱撫			咸熙二年紀
☆ 始置	車曹掾				
咸熙元年始置	鎧曹掾	（屬）唐彬	魯國鄒人	尙書水部郎鄴令	晉書唐彬傳頁 1217-1218
☆咸熙元年始置	水曹掾	（屬）孫彧			咸熙元年紀 晉書文帝紀
☆咸熙元年始	集曹掾				宋志

置					
咸熙元年後置	法曹掾				宋志
☆咸熙元年始置	奉曹掾				宋志
咸熙元年後置	倉曹掾				宋志
☆咸熙元年始置	戎曹掾				宋志
☆咸熙元年始置	馬曹掾				宋志
☆	媒曹掾				宋志
☆	散屬九人				宋志
咸熙初	掾	劉毅			晉書
		劉頌	廣陵人	尚書三公郎	晉書劉頌傳頁1293
		裴楷	河東聞喜	中書郎	晉書裴楷傳頁1047-1048
		王戎	琅邪臨沂	吏部黃門郎	晉書王戎傳頁1231-1232

		祖武	范陽遒人	上谷太守	晉書祖逖傳頁1693
		荀勖	潁川潁陰	中書監加侍中	晉書荀勖傳頁1152
	屬	劉喈			晉書劉毅傳

第四章　曹魏一朝政務機關之研究（下）

曹操時期利用司空及丞相掾屬以建立其領導班底，同時對於漢廷具樞機之任的尚書臺仍操控在手中，最後是成立魏國的尚書臺以完成代漢之準備，因此我們以下的討論將集中於曹魏時期有其實而無名的部份，即尚書臺、中書監令及門下等。

然而由於前人陳啓雲對於尚書臺在兩漢到兩晉的發展過程，已有詳盡的研究，幾成定論[1]，因此本章討論重點，將放在尚書臺、中書監及門下等與司馬氏家族的關係上，正如上一章討論諸公時，我們發現司馬氏對諸公制度具有重大的影響，則司馬家族對曹魏時期的尚書、中書及門下等機關是否也有影響力？影響的程度如何？對其後來篡位有何幫助？這是本章主要想探討的部份。

---

[1] 陳啓雲，＜兩晉三省制度之淵源、特色及其演變＞，《新亞學報》，3：2（1958.2）。

第一節　尚書

雖然陳啓雲對此時期關於尙書等已作深入研究，但爲求文章的完整性，故此還須簡略對尙書等當時的職權作一論說；正如陳啓雲氏所說「尚書機構自漢以來，逐漸由內官變為外官，其職制日趨完密，權力與地位亦益增隆顯。」[2]上一章論曹操於建安元年即任錄尙書事一職可知，前此王允爲董卓所重用，正因其熟習尙書故事，這些都益証陳氏之說法及尙書職權的重要性，至曹魏成立，尙書臺的地位又如何？這裡先從錄尙書事說起。

錄尙書事之人選曹魏一朝共五人，即陳群、司馬懿、曹爽、司馬師及司馬昭[3]（參附表廿六：錄尙書事任遷一覽表），他們的地位似都有一定的重要性。先就陳群及司馬懿說，論他們跟曹丕的私人交情，是屬於感情深厚者，《三國志》＜魏書陳群傳＞載曹丕對陳群「深敬器焉，待以交友之禮，常歎曰『自吾有回，門人日以親。』」因對陳群的依重，即王位後以陳群「制九品官人法」[4]，以爲政

---

[2] 陳啓雲，＜兩晉三省制度之淵源、特色及其演變＞，頁 227。

[3] 陳群可參《三國志》，卷 22＜魏書．陳群傳＞（台北：鼎文書局，民 69 年），頁 635。司馬懿則可參《晉書》，卷 1＜宣帝紀＞（台北：鼎文書局，1983），頁 4。曹爽參《三國志》，卷 9＜魏書．曹爽傳＞，頁 282。司馬師參《三國志》，卷 4＜魏書．齊王芳紀＞，頁 124。司馬昭參《三國志》，卷 4＜魏書．高貴鄉公紀＞，頁 133。

[4] 《三國志》，卷 22＜魏書．陳群傳＞，頁 635。

治選才之準繩，可見信任之深；至於跟司馬懿的交情也匪淺，看《晉書》<宣帝紀>載司馬懿於「魏國既建，遷太子中庶子。每與大謀，輒有奇策，為太子（曹丕）所信重，與陳群、吳質、朱鑠號曰四友。」[5]在公事方面，文帝曹丕對兩人也信任有加，試看《三國志》<魏書文帝紀>注引《魏略》載詔中有言「其以尚書令穎鄉侯陳群為鎮軍大將軍，尚書僕射西鄉侯司馬懿為撫軍大將軍。若吾臨江授諸將方略，則撫軍當留許昌，督後諸軍，錄後臺文書事；鎮軍隨車駕，當董督眾軍，錄行尚書事。」[6]可見當時的陳群及司馬懿實爲輔助文帝的重要人選；基於此我們就能明白曹丕於黃初七年去世，臨終前選擇輔助嗣主的四人中，除曹家的曹真及曹休外，餘者即司馬懿及陳群之原因[7]，同時也應該可說司馬懿及陳群在曹丕心中的地位，是有一定的份量，因此由他們擔任的職位自有一定的重要性。

至明帝時的曹爽，其能居此職之原因，與明帝的關係可能是一個原因，《三國志》<魏書曹爽傳>說爽「少以宗室謹重，明帝在東宮，甚親愛之。及即位……轉武衛將軍，寵待有殊。」[8]更重要的因素則爲政治鬥爭的結

5 《晉書》，卷 1<宣帝紀>，頁 2。
6 《三國志》，卷 2<魏書・文帝紀>，頁 85。
7 《三國志》，卷 2<魏書・文帝紀>，頁 86。
8 《三國志》，卷 9<魏書・曹爽傳>，頁 282。

果，《三國志》＜魏書明帝紀＞注引《漢晉春秋》載明帝本以燕王宇、夏侯獻、曹爽、曹肇及秦朗等輔政，但中書監令劉放、孫資與此輩有隙，故以藩王不輔政之慣例勸明帝改以曹爽代燕王宇[9]，所以曹爽雖本在輔政之列，卻非最要者，最後則因劉放等言得到明帝委以重任，「帝寢疾，乃引爽入臥內，拜大將軍，假節鉞，都督中外諸軍事，錄尚書事，與太尉司馬宣王並受遺詔輔少主。」其後曹爽爲能獨尊朝政，「發詔轉宣王為太傅，外以名號尊之，內欲令尚書奏事，先來由己，得制其輕重也。」[10]這裡已把錄尚書事及尚書奏事的重要性顯露，陳啓雲於＜兩晉三省制度之淵源、特色及其演變＞一文說「漢世處分文案的權力實際上在『領、錄、典、平』尚書事諸官之手，尚書機關則不過替這些官員服務而已。」[11]所以曹爽要做的就是先把司馬懿的錄尚書事取消，以具尊貴清望的太傅一職授與，目的即在架空其權力，這裡可見錄尚書事在當時的重要地位。另外曹爽希望尚書奏事於他，亦正見尚書臺事務的重要。

往後曹爽執政的正始年間，尚書臺的地位似仍沒有改變，試看嘉平元年高平陵事件前，曹爽之所以如此大意爲司馬懿有機可乘，就如《三國志》＜魏書曹爽傳＞

---

[9]《三國志》，卷 3＜魏書．明帝紀＞，頁 113。
[10]《三國志》，卷 9＜魏書．曹爽傳＞，頁 282。
[11] 陳啓雲，＜兩晉三省制度之淵源、特色及其演變＞，頁 117。

注引《漢晉春秋》所載「爽兄弟典重兵，又權尚書事，誰敢謀之？」[12]曹爽就是認爲禁兵及尚書事皆爲其控制，應不致發生意外。最後曹爽失敗，司馬懿握權，往後司馬師、司馬昭執政，也都帶錄尚書事職銜，可見終曹魏之世，錄尚書事在總攬政務上的影響力。

其次就尚書臺的情形，從曹操時期的荀彧及荀攸，都是樞機之任，曹丕以後不改此職任，而且尚書臺的官員也能得皇帝的信任，《三國志》<魏書杜畿傳>載「(文帝)帝征吳，以畿為尚書僕射，統留事。其後帝幸許昌，畿復居守。」[13]甚至可以勉強文帝的意願：《三國志》<魏書鮑勛傳>載「黃初四年，尚書令陳群、僕射司馬宣王並舉勛為宮正，宮正即御史中丞。帝不得已而用之。」[14]可見尚書對皇帝是具有影響力。同時尚書臺也有一定的專業及尊嚴，不容外人侵犯，即令皇帝亦如是，如《三國志》<陳矯傳>載明帝「車駕嘗卒至尚書門，矯跪問帝曰『陛下欲何之？』帝曰『欲案行文書耳。』矯曰『此自臣職份，非陛下所宜臨也。若臣不稱職，則請就黜退。陛下宜還。』帝慚，回車而反。」[15]這裡可以說明一件事，即文帝及明帝時，都能尊重尚書臺的職權，不致以皇權

---

[12]《三國志》，卷 9<魏書・曹爽傳>，頁 291。
[13]《三國志》，卷 16<魏書・杜畿傳>，頁 497。
[14]《三國志》，卷 12<魏書・鮑勛傳>，頁 385。
[15]《三國志》，卷 22<魏書・陳矯傳>，頁 644。

影響其權力的行使，同時明帝也有對臣下採取信任的態度，《三國志》＜魏書徐宣傳＞載「（明帝）以宣為左僕射，後加侍中光祿大夫。車駕幸許昌，總統留事。」更重要者是徐宣受明帝之信任程度，同卷尚記「帝還，主者奏呈文書。詔曰：『吾省與僕射何異？』竟不視。」[16]這裡也可見文帝、明帝時期，尙書臺與君主間的關係是密切的，但以後的情形似乎有變。

當然在職權及地位上，至正始年間尙書仍爲樞機職任，《三國志》＜魏書司馬岐傳＞載「是時大將軍爽專權，尚書何晏、鄧颺等為之輔翼……岐數颺曰『夫樞機大臣，王室之佐』」云云[17]；另外就前引＜曹爽傳＞所載爽與司馬懿的鬥爭中，希冀掌握者即爲尙書奏事[18]，這裡一方面讓我們知道曹爽時尙書仍被稱爲樞機大臣，其重要性並沒有改變；另一方面尙書臺爲曹爽所控制，後來曹爽失敗，司馬氏勢力進入尙書臺，曹氏之勢危矣。

爲甚麼說曹爽敗後，司馬氏的勢力就進入尙書臺？我們試看在嘉平元年以後任職尙書臺者，我們就可以發現有這樣的趨勢（參看附表廿九：尙書任遷一覽表，另外由於尙書令及尙書僕射皆由尙書遷入，故此處只看尙

---

[16]《三國志》，卷 22＜魏書·徐宣傳＞，頁 646。
[17]《三國志》，卷 12＜魏書·司馬岐傳＞，頁 389。
[18]《三國志》，卷 9＜魏書·曹爽傳＞，頁 282。

書即可），從統計資料看，嘉平元年至咸熙二年中任職尚書臺者有 24 人，情況不明者 8 人，包括崔贊、王經、魯芝、華表、蘇愉、和逌、王默及蔡睦，還有 16 人，當中王廣爲王淩之子，因與其父反對司馬懿立場一致而遭殺[19]，王基因隨軍征戰在外[20]，可以不算外，其餘 14 人皆與司馬氏有某種程度的關係，這部份我們也可分爲前後期來看，前期的嘉平年間，尙書包括盧毓、袁侃、袁亮、王觀、許允及傅嘏等 6 人，接近半數這些人似乎是在曹爽專政期對曹爽有所不滿，至司馬懿發動高平陵事件前後集合在司馬懿之指揮下，共同對抗曹爽；後期則指陳騫、何曾、鍾毓、荀顗、裴秀、王沈及盧欽等，佔此期 14 人中的 7 人，更是與司馬氏關係密切，另外尚有魯芝、華表及蘇愉三人，雖不見與司馬氏家族有何密切的關係，但後來也都仕於晉朝[21]，如果與上述 6 人合算，則有 13 人是與司馬氏合作或不反對司馬氏，則人數不可謂不多。

如何知道這些人對司馬氏或曹爽的態度？前期的人物，《三國志》<魏書盧毓傳>載毓本爲吏部尚書，「**曹爽秉權，將樹其黨，以侍中何晏代毓。頃之，出毓為廷**

[19]《三國志》，卷 28<魏書・王淩傳>，頁 758-759。

[20]《三國志》，卷 27<魏書・王基傳>，頁 752。

[21]《晉書》，卷 90<魯芝傳>，頁 1329。《三國志》，卷 13<魏書・華歆傳>，頁 406。《三國志》，卷 16<魏書・蘇則傳>，頁 493。

尉……爽等見收，太傅司馬宣王使毓行司隸校尉，治其獄。復為吏部尚書。」[22]盧毓被曹爽以何晏代其職位，則與曹爽的關係自可理解，司馬懿也就利用此情形以盧毓治曹爽獄；《三國志》＜魏書王觀傳＞載「大將軍曹爽使材官張達斫家屋材，及諸私用之物，觀（時為少府）聞之，皆錄奪以沒官。少府統三尚方藏玩弄之寶，爽等奢放，多有干求，憚觀守法，乃徙為太僕。司馬宣王誅爽，使觀行中領軍，據爽弟羲營，賜爵關內侯，復為尚書，加駙馬都尉。」[23]王觀也應對曹爽有一定的意見，司馬懿才以他爲中領軍；《三國志》＜魏書傅嘏傳＞載「時曹爽秉政，何晏為吏部尚書……晏等遂與嘏不平，因微事以免嘏官……太傅司馬宣王請為從事中郎。曹爽誅，為河南尹，遷尚書。」[24]傅嘏的情形縱不對曹爽敵視，也會對曹爽有一定的意見；這三個資料大概可以証明司馬懿如何利用曾跟曹爽有紛爭的人以對付曹爽。

另外《三國志》＜魏書袁渙傳＞載袁亮「貞固有學行，疾何晏、鄧颺等，著論以譏切之。」同時袁渙之子侃與袁亮，「齊聲友善」[25]，因此或可相信此二人的行動將會一致，這資料也可証明司馬懿如何結合不滿曹爽之

---

[22] 《三國志》，卷 22＜魏書．盧毓傳＞，頁 652。
[23] 《三國志》，卷 24＜魏書．王觀傳＞，頁 694。
[24] 《三國志》，卷 21＜魏書．傅嘏傳＞，頁 624。
[25] 《三國志》，卷 11＜魏書．袁渙傳＞，頁 336。

人士，《三國志》<魏書曹爽傳>載「侍中許允、尚書陳泰說爽，使早自歸罪。爽於是遣允、泰詣宣王，歸罪請死，乃通宣王奏事。」[26]許允後雖因李豐事爲司馬懿所殺，但在高平陵事件中是有助於司馬懿的。從這些資料，我們可以知道嘉平年間任職尚書，縱不是司馬懿的同黨，起碼也是司馬懿集合不滿勢力以打敗曹爽，更可能從中建立個人之影響力。

後一期主要是司馬昭如何掌握尚書臺，因爲司馬師於正元二年去世；《晉書》<何曾傳>載「時曹爽專權，宣帝稱疾，曾亦謝病。爽誅，乃起視事。魏帝之廢也，曾預其謀焉。」[27]何曾後來仕晉爲太尉，尚有陳騫、裴秀、盧欽都曾爲司馬氏掾屬[28]，王沈身份更特殊，《晉書》<王沈傳>載「及高貴鄉公將攻文帝，召沈及王業告之，沈、業馳白帝。」所以有不忠於主的評價，但對晉來說則是開國元勳[29]；另外荀顗則甚得司馬氏之信任[30]，而且

---

[26] 《三國志》，卷 9<魏書・曹爽傳>，頁 287。

[27] 《晉書》，卷 33<何曾傳>，頁 995。

[28] 《晉書》，卷 35<陳騫傳>載陳騫「為相國司馬、長史、御史中丞，遷尚書……武帝受禪，以佐命之勳，進車騎將軍。」，頁 1036。《晉書》，卷 35<裴秀傳>載秀「歷文帝（司馬昭）安東將軍及衛將軍司馬，軍國之政多見信納……武帝即王位，拜尚書令、右光祿大夫……及帝受禪，加左光祿大夫。」，頁 1038。《晉書》，卷 44<盧欽傳>記「宣帝為太傅，辟從事中郎，出為陽平太守……武帝受禪，以為都督沔北諸軍事、平南將軍。」

[29] 《晉書》，卷 39<王沈傳>記「沈以才望，顯名當世，是以創業

全部入晉後都仕宦於晉朝，可見他們在晉的地位是不同的。

從以上的情形看，嘉平以後的尚書臺也漸爲司馬氏家族所掌握，或許就如前面 14 位尚書中最特別的一個——王經所說的「今權在其門，為日久矣，朝廷四方皆為之致死，不顧逆順之理，非一日也。」[31]只是這種情形讓人想到本書第二章探討曹操時，建安年間的東漢政權情形與曹魏末期是否也有某種類似？

之事，羊祜、荀勖、裴秀、賈充等，皆與沈諮謀焉。及帝受禪，以佐命之勳，轉驃騎將軍、錄尚書事」，頁 1145。

30《晉書》，卷 39<荀顗傳>載顗「文帝輔政，遷尚書。帝征諸葛誕，留顗鎮守……咸熙中，遷司空」，頁 1150。

31《三國志》，卷 4<魏書·高貴鄉公紀>注引《漢晉春秋》，頁 144。

第二節 中書

關於中書在曹魏時期的發展，陳啓雲的＜兩晉三省制度之淵源、特色及其演變＞一文，也有清楚的論述，「魏代中書監令之權勢，亦始於文帝，盛於明帝，曹爽輔政，已漸失勢，迨司馬師誅李豐後，更一蹶不振焉。」[32]此處重點會放在前面討論的部份，即有關司馬懿在中書的發展上所扮演的角色。

不過也有一個問題值得一述，《通典》＜職官＞載「魏置中書省，有監令，遂掌機衡之任，尚書之權漸減矣。」[33]這樣對曹魏時期中書省的描述，似有商榷的餘地，如前引陳啓雲所言，自明帝以後中書已漸失權寵，至後更一蹶不振，則其影響力起碼在明帝以後不致太大，原因可說當時的中書尚無法定的權力來源，主要依據人主的信任情形而定，孫資及劉放即因文帝、明帝之信任而典機密，但人主的更替，其地位也會受影響而改變[34]，正見中書監令尚未具法定的權力地位，所以在曹魏時期《通典》所載的情況尚未出現。

不過司馬懿在對抗曹爽的過程中，大抵都把不滿曹

---

[32] 陳啓雲，＜兩晉三省制度之淵源、特色及其演變＞，頁 188。
[33] 《通典》，卷 22＜職官四＞，（北京：中華書局，1992），頁 588。
[34] 《三國志》，卷 14＜魏書・劉放傳＞注引《世語》，頁 460。

爽的勢力結合爲其所用，我們在上一節中就可以看到尚書臺的情形，中書監令似乎也沒有不同，《三國志》<魏書劉放傳>載「曹爽誅後，復以資為侍中，中書令。」因爲曹爽專政期間，孫資對曹爽的專政，是心懷怨懟的，同書注引《資別傳》記「大將軍專事，多變易舊章。資歎曰『吾累世蒙寵，加以豫聞屬託，今縱不能匡弼時事，可以坐受素餐之祿邪？』遂固稱疾。」[35]司馬懿在擊敗曹爽後，即復孫資中書令之官，明年嘉平二年再遜位歸第；自是以後直至司馬懿去世似未見補中書令之缺。司馬師爲大將軍，甚至中書令的人選都是司馬師決定，《三國志》<魏書夏侯玄傳>注引《魏略》稱「嘉平四年宣王終後，中書令缺，大將軍諮問朝臣：『誰可補者？』或指向豐。」[36]後因與齊王芳密語，司馬師疑而殺之，更見司馬氏家族之勢力。

其後資料中顯示尙有中書令二人，一爲孟康，一爲虞松；孟康，安平人，資料見《三國志》<魏書杜恕傳>注引《魏略》中[37]，因記載較簡，未見有何特殊之處；至於虞松，資料見《三國志》<魏書鍾會傳>注引《世語》[38]，這段資料則可見司馬師對中書令之影響，因爲虞

35 《三國志》，卷 14<魏書・劉放傳>，頁 460。
36 《三國志》，卷 9<魏書・夏侯玄傳>，頁 301。
37 《三國志》，卷 16<魏書・杜恕傳>注引《魏略》，頁 506。
38 《三國志》，卷 28<魏書・鍾會傳>，頁 784。

松曾受司馬懿之辟而爲其掾屬，後才爲中書郎，至中書令尚要聽司馬景王之命，則與明帝時的孫資及劉放，相差難以道里計。

另外就中書的組織而言，《晉書》<職官志>載「中書監及令……魏武帝為魏王，置秘書令，典尚書奏事。文帝黃初初改為中書，置監、令……中書侍郎，魏黃初初，中書既置監、令，又置通事郎，次黃門郎……及晉，改曰中書侍郎，員四人。中書侍郎蓋此始也。」[39]《宋書》<百官志>所記相若，然而這個記載似有不合事實的地方，因爲中書侍郎早在魏明帝時就有，《三國志》<魏書王基傳>載王基在明帝時「大將軍司馬宣王辟基，未至，擢為中書侍郎。」[40]另外，《三國志》<魏書鍾會傳>也載鍾會於「正始中，以為秘書郎，遷尚書中書侍郎。」[41]所以早在曹魏時期就有中書侍郎，不知《晉書》及《宋書》所據爲何？

---

[39] 《晉書》，卷 24<職官志>，頁 734。
[40] 《三國志》，卷 27<魏書．王基傳>，頁 750-751。
[41] 《三國志》，卷 28<魏書．鍾會傳>，頁 784。

第三節　門　下

曾資生《中國政治制度史》中認爲「門下省淵源於漢之侍中寺，由侍中管領近侍諸官而成，晉宋以降，職權始大。初無台省之稱，謂之門下省，亦自晉始有。」[42]只是陳啓雲在<兩晉三省制度之淵源、特色及其演變>中則說「東漢時侍中黃門等已合稱黃門之官，至魏乃稱『門下』也。(『門下疑指黃門之下』)」[43]。陳氏徵引《後漢書》及《三國職官表》的資料以資証明，大抵較爲可信，只是更重要的問題是門下所包涵的職官有那些？特別是曹魏時期的門下？

據《晉書》及《宋書》所列應有侍中、給事黃門侍郎、散騎常侍、給事中、員外散騎常侍及散騎侍郎[44]，尙有諸如通直散騎常侍及奉朝請，因曹魏時期未置，另外給事中則皆爲加官，此處不列入討論的範圍。至於他們的職掌，據兩書所載皆約同，如《晉書》所載主要是「侍中居左、常侍居右，備切問近對，拾遺補闕……自魏至晉，散騎常侍、侍郎、與侍中、黃門侍郎共平尚書奏事。」

---

[42] 曾資生，《中國政治制度史》第三冊，<魏晉南北朝>，（香港：龍門書店，1969.10），頁 195。
[43] 陳啓雲，<兩晉三省制度之淵源、特色及其演變>，頁 173。
[44] 《晉書》，卷 24<職官志>，頁 733-734。《宋書》，卷 40<百官志下>（台北：鼎文書局，1980），頁 1244。

[45]這裡試以此作爲準則，考察曹魏時期侍中等職權是否與之相合。

綜合現有資料，大抵曹魏時期侍中的主要職權可分爲五部份，第一是顧問應對，《三國志》<魏書王粲傳>載魏國建立時以王粲爲「侍中，博物多識，問無不對。」[46]又如同書<魏書楊阜傳>載「文帝問侍中劉曄等『武都太守何如人也？』皆稱有公輔之節。」[47]另外<魏書蘇則傳>載「文帝問則曰『前破酒泉、張掖，西域通使，燉煌獻徑寸大珠，可復求市益得不？』則（時為侍中）對曰『若陛下化洽中國，德流沙漠，即不求自至，求而得之，不足貴也。』帝默然。」[48]等屬之。

其次則爲朝廷、爲皇帝謀劃方略，如董昭侍帝側，黃初三年征東大將軍曹休臨江在洞浦口，文帝恐其渡江，董昭分析形勢，最後終如其所言。[49]《三國志》<魏書劉曄傳>注引《傅子》中有言「侍中劉曄先帝謀臣」之言[50]；散騎常侍的職權也相仿，《三國志》<魏書蔣濟傳>載文帝賜夏侯尚之詔，言語有不妥當之處，蔣濟在

---

45 《晉書》，卷 24<職官志>，頁 733-734。
46 《三國志》，卷 21<魏書．王粲傳>，頁 598。
47 《三國志》，卷 25<魏書．楊阜傳>，頁 704
48 《三國志》，卷 16<魏書．蘇則傳>，頁 492-493。
49 《三國志》，卷 14<魏書．董昭傳>，頁 441。
50 《三國志》，卷 14<魏書．劉曄傳>，頁 448。

帝前指出錯處[51]；更甚者皇帝對他們的諍諫，還不應有所怨懟，如《三國志》<魏書辛毗傳>載毗言曰「陛下（文帝）不以臣不肖，置之左右，廁之謀議之官，安得不與臣議邪！臣所言非私也，乃社稷之慮，安得怒臣！」[52]可見侍中在皇帝左右，隨時代爲謀劃國家大政，皇帝不應因此動怒；然而一人的謀劃不見得盡善盡美，故門下各員中，又可相互爭駁，這種情形常常發生在對朝廷之施政，即第三個職權，議論朝政之權限。

先就議論朝政而言，《三國志》<魏書杜恕傳>載恕「太和中為散騎黃門侍郎……每政有得失，常引綱維以正言，於是侍中辛毗等器重之。」[53]又如《三國志》<魏書盧毓傳>載毓爲侍中，「上論古今科律之意，以為法宜一正，不宜兩端，使姦吏得容情。」[54]甚至對軍事的事務，也有諍諫之權力，《三國志》<魏書鍾毓傳>載鍾毓正始中爲散騎常侍，曹爽攻蜀不克，正欲增兵，因鍾毓之規諫而停止，最後曹爽無功而還[55]等；因爲有這樣的職權，意見難免不一，因此就有相互批駁的情形出現，如《三國志》<魏書鮑勛傳>載文帝喜游獵，鮑勛上疏諍諫，

---

51 《三國志》，卷 14<魏書・蔣濟傳>，頁 451。
52 《三國志》，卷 25<魏書・辛毗傳>，頁 697。
53 《三國志》，卷 16<魏書・杜恕傳>，頁 498。
54 《三國志》，卷 22<魏書・盧毓傳>，頁 650。
55 《三國志》，卷 13<魏書・鍾毓傳>，頁 400。

但侍中劉曄則順應文帝之意而說游獵之好，被鮑勛責難並因奏「劉曄佞諛不忠，阿順陛下過戲之言」請有司治其罪[56]，就是一個明顯的例子。

另外尙有一個重要的任務，使侍中有發展成爲權力核心的條件，即典尙書奏事，陳啓雲在＜兩晉三省制度之淵源、特色及其演變＞即已提到，而史料則見《三國志》＜魏書華歆傳＞注引華嶠《譜敘》曰「（華）表……年二十為散騎侍郎，時同僚諸郎共平尚書事。」[57]

最後則有負責籌劃建立制度或著作的工作，如前引＜魏書王粲傳＞載魏國建時以王粲爲侍中，「時舊儀廢弛，興造制度，粲恆典之。」[58]又如《三國志》＜魏書衛覬傳＞記衛覬在「魏國既建，拜侍中，與王粲並典制度。」[59]其次又有典著作之任，《三國志》＜魏書王粲傳＞注引《文章敘錄》稱應璩「復為侍中，典著作」[60]。最後尙有接受皇帝委派的任務，如修定法律，《三國志》＜魏書盧毓傳＞記「散騎常侍劉劭受詔定律」[61]等等皆爲門下之工作。

---

56 《三國志》，卷 12＜魏書．鮑勛傳＞，頁 385。
57 《三國志》，卷 13＜魏書．華歆傳＞，頁 406。
58 《三國志》，卷 21＜魏書．王粲傳＞，頁 598。
59 《三國志》，卷 21＜魏書．衛覬傳＞，頁 611。
60 《三國志》，卷 21＜魏書．王粲傳＞，頁 604。
61 《三國志》，卷 22＜魏書．盧毓傳＞，頁 651。

基於以上備顧問等的職權，都需要有真才實學之士升任，故在人選方面多強調符合此一需要，《三國志》<魏書杜恕傳>注引《魏略》稱「黃初中……散騎常侍皆以高才英儒充其選」[62]，又如太和二年有詔曰「其高選博士，才任侍中常侍者」[63]等皆可証明。但由於隨侍皇帝身旁，接近權力核心，對侍中等的看法可能也會因人而異，《三國志》<魏書蘇則傳>記蘇則「徵拜侍中，與董昭同寮。昭嘗枕則膝臥，則推下之，曰『蘇則之膝，非佞人之枕也。』」[64]只是顧問或佞臣的劃分標準爲何？

此處以門下中的侍中爲代表，分析其與司馬氏家族的關係，所以只用侍中，實因門下省中以侍中地位最高，應最有代表性；自曹爽誅後，出任侍中者計有 22 人（參附表三十一：侍中升遷一覽表），除資料不全無法歸類者 8 人，餘下 14 人中有 9 人應是站在司馬氏一邊，另外鄭沖、王祥及衛瓘似也不反對司馬氏家族，鄭沖及王祥前面多處提及，故不再重複，至於衛瓘，《晉書》<衛瓘傳>載其人對當時政局之態度是「時權臣專政，瓘優游其間，無所親疏」[65]。

---

[62] 《三國志》，卷 16<魏書・杜恕傳>，頁 506。
[63] 《三國志》，卷 3<魏書・明帝紀>，頁 94。
[64] 《三國志》，卷 16<魏書・蘇則傳>，頁 492。
[65] 《晉書》，卷 36<衛瓘傳>，頁 1055。

在 9 人中與尚書重複者有 3 人，即何曾、鍾毓及王沈，故在此不再舉証，另外有 2 人爲司馬師及司馬昭，均以大將軍加侍中；其他如司馬孚，在高平陵事件中與司馬師屯兵司馬門，因功封侯加侍中[66]，其次鄭袤，曾爲大將軍從事中郎，並由司馬懿推薦出任廣平太守[67]；第三是荀顗，《晉書》<荀顗傳>載「宣帝輔政，見顗奇之，曰『荀令君之子也』。擢拜散騎侍郎，累遷侍中。」[68]；最後爲范粲，曾爲太尉掾，「及宣帝輔政，遷武威太守。」[69]從這些記載，我們可知侍中似也與司馬懿有一定的關係，或者說司馬氏對侍中也有一定的影響力。

---

[66] 《晉書》，卷 37<安平獻王孚傳>，頁 1083。
[67] 《晉書》，卷 44<鄭袤傳>，頁 1250。
[68] 《晉書》，卷 39<荀顗傳>，頁 1150。
[69] 《晉書》，卷 94<范粲傳>，頁 2431。

第四節　尚書、中書及門下綜合論述

曹魏時期的尚書臺，在職權的重要性並未有降低的情況，甚至在地位上似較前更爲崇重，當中以皇帝的信任與尊重實爲主要原因；中書雖云掌機密，其時則尚無法定地位，故其權勢是跟隨人主而升降；最後是門下，以其職權而言，當屬顧問性質，又或可視爲政府磨練人才的重要機關。

嘉平以後，我們可以看到這三個機關都或多或少與司馬氏有一定程度的關係，不管當初是對曹爽不滿、或曾任司馬氏掾屬，這是値得我們注意的問題，是否代表司馬氏勢力正滲透著政府各個機關中，爲他們日後篡魏作準備？

由此我們又可以從另一個角度觀察人事與制度的關聯，有權勢的個人固然可以造成制度的變遷，但權勢的擴增也常要假制度而行，曹氏及司馬氏之擴權、篡位，正是這種人事與制度相遷就、相影響、相糾葛的最佳例子。

第五章　曹魏政務機關之任用與升遷

第一節 諸公任遷之研究

這裡所說的諸公當然是指前面第三章所討論的所有八個官員，只是有些如相國、太傅及太保等（參附表十一：相國任遷一覽表、附表十二：太傅任遷一覽表及附表十三：太保任遷一覽表），由於人數不多，而且又沒有任何值得讓人特別注意的地方，因此只把他們的入出遷資料附於文章後面，以爲參考；另外統計資料的主要來源是洪飴孫《三國職官表》[1]，再加以相關資料，所有資料來源皆附於備註欄內。

數字的統計觀察有時對我們的研究有意想不到的幫助，數字與純文字交互運用印証，更可貼近當時的真貌，如附表中關於大司馬的入出遷記錄（參附表十四：大司馬任遷一覽表），只有三個人，即曹仁、曹休及曹真[2]，在時間上均在文、明二帝時期，在入遷途徑上都是大將軍，出遷的方向均爲大司馬，更重要的一點是人選，三個人均爲曹氏宗族，可見此一職位從人選、入出遷皆呈現封閉性，

---

[1] 洪飴孫，《三國職官表》，收錄在《二十五史補編》（北京：中華書局，1986），頁 2131-2777。

[2] 表中雖然尚有一人，即公孫淵，由於他對曹魏政務機關的發展，沒有重大影響，故不列入討論範圍。

不爲其他職官及人選參入其中，原因爲何？上一章討論大司馬職權時就指出大司馬應爲曹魏時期掌管軍權的最高地位，前引楊德炳的文章中即曾指出曹氏政權中的軍隊領導權一直掌握在曹氏和夏侯氏手中[3]，因此是不輕易授與別人，如果再配合前引明帝與孫資的對話[4]，更見大司馬的重要性。

大司馬關係軍權，而曾任大司馬的曹仁、休、真又是從大將軍升遷，則大將軍一職又如何？從延康時期起，這個職位的人選只有二個家族[5]，即曹家及司馬家（參附表十五：大將軍任遷一覽表），我們先注意他們的入遷途徑，除燕王宇不明外，其餘全部以將軍入遷，可見其入遷途徑的單一性，至於出遷，則稍有不同，曹家四人中兩人轉任大司馬，兩人免職，司馬家則一爲太尉、一在任時去世及司馬昭轉任相國，這樣的入出遷情形，較特別的應該是司馬懿之轉入太尉，因爲曹仁及曹真轉任大司馬，前已論及大司馬的重要性，則司馬懿之轉任太尉，與前此轉任大司馬顯出一個不同。（見前 109 頁）

---

[3] 楊德炳，＜試論曹操政權的性質＞，《中國古代史論》，1982.3，頁 58-73。

[4] 本書第三章第二節關於大司馬職權部份，或直接參看《三國志》，卷 14＜魏書．劉放傳＞注引《資別傳》（台北：鼎文書局，民 69 年），頁 460-461。

[5] 夏侯惇不在計算之內，因就任不久去世，同時又與曹操有姻親的關係，也可算在曹氏家族中，另外孫權因對曹魏政務機關沒有實質重大的影響，也不列入討論。

自後的大將軍－－燕王及曹爽－－免職，一是明帝的安排，《三國志》＜魏書劉放傳＞載「（明）帝寢疾，欲以燕王宇為大將軍……宇性恭良，陳誠固辭……帝獨召（曹）爽與放、（孫）資俱受詔命，遂免宇、獻、肇、朗官。」[6]一是政治鬥爭的結果，同書＜齊王芳紀＞載「嘉平元年春正月甲午，車駕謁高平陵。太傅司馬宣王奏免大將軍曹爽。」[7]此即有名的高平陵事件；後來的大將軍司馬師及司馬昭則因曹魏政權已爲其掌握，則大將軍一職之重要性不言而喻。只是大將軍一職往後即爲司馬家族所把持，直至魏亡，所以說司馬懿及曹爽是此一職位的轉捩點，是否也可以說是曹魏政權的轉捩點？

但這裡尚要指出一點，司馬懿在與曹爽爭衡期間，並不是居於大將軍一職，而是太傅，不過既然司馬懿以大將軍遷轉至太尉，再因政治情況而被改任太傅，則下面我們先討論太尉的情形，以了解司馬懿的轉任太尉，與曹仁、曹真轉任大司馬有何差別？接著再討論太傅。

資料中可見曹魏一朝曾任太尉者共有 11 人（參附表十

---

[6] 《三國志》，卷 14＜魏書・　　　　459。關於燕王宇是否真的固辭或爲劉放與際資的計劃下被撤換，尚有討論的餘地，也尚可參考同注所引《世語》及《三國志》，卷 3＜魏書・
《漢晉春秋》等詳加推敲，但此處的重點不在討論此一部份，此處只想知道燕王宇任大將軍之時間長久之問題。

[7] 《三國志》，卷 4＜魏書・　　　　123。

六：太尉任遷一覽表），入遷的途徑可分爲四，一是三公，即司徒及司空，共五人，包括華歆、王淩、司馬孚、高柔及王祥；其次是將軍四人，包括司馬懿、滿寵、蔣濟及鄧艾；餘下一爲太中大夫，一爲廷尉；至於出遷，則較入遷單純，只有兩個途徑，一爲太傅，一爲死亡（死亡包括壽終或被殺），雖然就這樣的入出遷來看尚算穩定；但若再作分析，則入遷方面似乎可以有更穩定的呈現，我們如果把這 11 人分爲兩個時段來看，會發現有一個前後期不同的地方，這個轉捩點其實就落在司馬懿身上，司馬懿前的三人，賈詡、鍾繇及華歆，三人的入遷全不相同，司馬懿之後，入遷只有兩途，非三公即將軍；出遷除最後王祥轉入晉朝外，其餘爲太傅者二人，卻都爲司馬家，餘的非壽終即被殺。

至於人選方面，似乎更可以劃分四個時段，第一時段時賈詡、鍾繇及華歆，他們都並非具有實際領兵打仗的經驗，縱然有參與戰爭，以幕僚性質爲主，如賈詡雖曾爲都尉及校尉，但不聞其作戰經驗，倒是助張繡敗曹操、後歸曹操助其敗袁紹、破韓遂與馬超，曹操在選擇太子等問題上，皆見其參與謀議，而且料事如神[8]；其次是鍾繇，曹操即曾以西漢的蕭何比之，雖然鍾繇也曾率眾平匈奴、破張晟及高幹等，但在魏國建立後，則主要的職務似乎屬於政

[8] 《三國志》，卷 10<魏書・ 326-331。

治性爲多，至爲太尉後更不見與軍事方面有何關係[9]；最後爲華歆，從漢末爲孝廉、尚書郎、太守，至代荀彧爲尚書令，及魏國建爲御史大夫，以至司徒、太尉等，可說沒有直接與戰爭發生關係[10]，相對於下一階段擔任太尉的人選而言，前期的人選中與太尉的本職並沒有太直接的關係。

第二階段的人選包括司馬懿、滿寵及蔣濟，司馬懿及滿寵都曾實際領兵作戰，甚至一輩子縱橫戰場；前面討論太尉職權時就曾指出，司馬懿是經歷征伐殺戮後才出任太尉；第二位滿寵，從汝南太守行奮威將軍、揚武將軍、伏波將軍、前將軍及代都督揚州諸軍事，後爲征東將軍，這期間從抗關羽，解襄、樊之危至敗孫權等，沙場奔馳、刀光劍影，最後以年老徵還爲太尉[11]；蔣濟的情形較特別，並沒有太多的戰場功勳，爲甚麼要把他列在此一階段，因爲他們三人都有一個特點，都曾接替曹氏家族中掌領軍隊的人物，如《晉書》＜魯芝傳＞記「曹真出督關右……真薨，宣帝（司馬懿）代焉。」[12]此其一；《三國志》＜魏書滿寵傳＞載太和三年「使曹休從廬江南入合肥……是歲休薨，寵以前將軍代都揚州諸軍事。」[13]此其二；最後是蔣濟，同前書＜蔣濟傳＞記黃初三年「大司馬曹仁征吳……仁薨，

---

[9] 《三國志》，卷 28＜魏書．鍾繇傳＞，頁 391-399。
[10] 《三國志》，卷 13＜魏書．華歆傳＞，頁 401-406。
[11] 《三國志》，卷 26＜魏書．滿寵傳＞，頁 725。
[12] 《晉書》，卷 90＜魯芝傳＞（台北：鼎文書局，1983），頁 2328。
[13] 《三國志》，卷 26＜魏書．滿寵傳＞，頁 723。

復以濟為東中郎將，代領其兵。」[14]這樣的情形，不知道是巧合或有意的安排，至少代表這個職位在一定程度上掌握著軍事權力。

第三階段是王淩及司馬孚，王淩久歷戰陣，以建武將軍、征東將軍都督揚州諸軍事，又曾討孫權、擊呂範、敗全琮，與外甥令狐愚並典兵，有淮南之重的地位[15]，其出任太尉一職是與司馬懿以前的情況不同，這是可以肯定的。尙有司馬孚，他是司馬懿的弟弟，在高平陵中幫司馬懿成功，《晉書》＜安平獻王孚傳＞載「大將軍曹爽擅權……孚不視庶事，但正身遠害而已。及宣帝誅爽，孚與景帝屯司馬門。」[16]憑此即自應有其地位，但其出遷則較特別，因爲我們參閱附表中關於出遷只有鍾繇及司馬懿與其相同，鍾繇是在明帝即位時轉任太傅，應有酬庸的意思，司馬懿則因曹爽欲專制朝政，名爲升任實則奪其權，司馬孚轉任太傅之原因爲何？是否因其與司馬懿等意見不同，至令其升轉爲太傅，《晉書》＜安平獻王孚傳＞載「孚性至慎。宣帝執政，常自退損。後逢廢立之際，未嘗預謀。景文二帝以孚屬尊，不敢逼。」[17]因爲我們還要注意接任之人爲誰，正是高柔。

---

14 《三國志》，卷 14＜魏書．蔣濟傳＞，頁 451。
15 《三國志》，卷 28＜魏書．王淩傳＞，頁 757-758。
16 《晉書》，卷 37＜安平獻王孚傳＞，頁 1083。
17 《晉書》，卷 37＜安平獻王孚傳＞，頁 1084。

第四個時期爲高柔、鄧艾及王祥，前二人與司馬家有一定的關係，高柔部份可參閱盧建榮＜魏晉之際的變法派與其敵對者＞一文，盧氏認司馬懿利用高柔廿三年不得遷轉的怨懟，說動高柔在高平陵事件中的支持，盧氏更認爲高平陵事後高氏「馬上封侯而榮升太尉」[18]，但據資料顯示高柔爲太尉是在甘露元年，距離高平陵事件已八年（嘉平有六年、正元有兩年）之久，但不管如何，據盧氏所推則高柔與司馬家是有一定程度上的合作關係；其次是鄧艾，雖然他未上任而亡[19]，但鄧艾因征蜀有功進位太尉，更何況他曾爲司馬宣王掾屬，這一點值得注意[20]。最後是王祥，我們可以說王祥的情形，與魏初任太尉三人實有相似之處，即不預實政，同時在時間上又在魏末，不免使人想到在曹操專權後期三公的遭遇或文帝即位之初，三公希與朝政的情形。

所以說司馬懿以大將軍遷轉至太尉，是曹魏時期的創例，改變大將軍遷轉大司馬的慣例，如果再加上第三章討論大司馬時引明帝與孫資的對話來看，是否可以看成明帝希望司馬懿成爲如西漢霍光等的角色，故授與此職？

---

[18] 盧建榮，＜魏晉之際的變法派與其敵對者＞，《食貨月刊》，10：7（1980.10）頁 7-28。

[19] 《三國志》，卷 28＜魏書・ 793。

[20] 《三國志》，卷 28＜魏書・ 775。

司徒一職的任遷資料，全部 11 人（參附表十七：司徒任遷一覽表），入遷的來源上有三公、九卿、尙書令、將軍等，情況好像有點複雜，至於出遷，則死亡、三公或入晉爲官等爲主，人選更沒有像大司馬及大將軍般的單純；不過其實司徒的發展，也可以分爲前後二階段，即明帝以前及以後，是兩個不同的階段，

先從出遷看，衛臻前有 5 人，除華歆轉任太尉外，其他一致的出遷途徑皆爲死亡，是否代表此一職位在這前段時期的非常穩定，除非去世，任職後不會有大變動。其次就入遷看，則較爲多元，並未限定在某一職位的遷轉，甚至 5 人的本職皆不一樣，反觀後一階段，人數 4 人[21]，入遷則只有兩途，一爲三公、一爲將軍，至於出遷，只有遷轉其他公官及入晉爲官。

如果我們站在制度的立場去觀察，在前期的入遷上似乎並未建立一制度化的升遷管導，任何人及任何職官都有機會升轉爲司徒，同時升任此一官職後，卻很少再升轉至其他官職，直至死亡爲止；至於後期則入遷似有一定的制度化，只有司空或將軍二途，至出遷則反呈多元化。

最後尙有司空的部份，就整體而言，遷轉尙稱穩定（參

---

[21] 本應 5 人，但鍾會並未任職即亡，故可以不算。

附表十八：司空任遷一覽表），在入遷方面，全部 18 人中有 5 個途徑，將軍、九卿及尚書均爲 5 人，御史大夫 2 人及光祿大夫 1 人，至於出遷，則以死亡佔最多，有 8 人（包括諸葛誕發兵反，兵敗被殺），其次爲司徒，有 5 人，還有太尉 3 人，尚有一位不詳一位未出任。如果根據前面的情形也嘗試把司空分爲兩個階段，雖然情況不明顯，似乎仍有值得注意的地方，即正始末王淩爲司空至嘉平元年轉任太尉，是改變以前的慣例，在此之前全部轉任爲司徒；王淩以後除鄭沖外，餘則全部遷轉太尉。

至於王淩後的司空人選，似乎可以分爲三類，一類是反對司馬懿，即諸葛誕，但諸葛誕實並未任職，只是司馬懿欲收其權故以其爲司空，後兵敗被殺[22]；第二類似乎是不參與現實政治鬥爭，如鄭沖，《晉書》<鄭沖傳>記其「**雖位階台輔，而不預世事。**」[23]與鄭沖一樣的尚有王祥，書傳並未記其對現實政治的舉措，只強調其德行感人[24]。

第三類則與司馬家族有一定的關係往來，第一個是孫禮，雖然明帝死前拜孫禮爲大將軍曹爽長史，命其輔

[22] 可參考《晉書》，卷 40<賈充傳>，頁 1165-1166 及《三國志》，卷 24<魏書・諸葛誕傳>，頁 769-770。
[23] 《晉書》，卷 33<鄭沖傳>，頁 992。
[24] 《晉書》，卷 33<王祥傳>，頁 988。

助曹爽，但後來孫禮對曹爽似乎有很大的不滿，《三國志》＜魏書孫禮傳＞載孫禮對司馬懿說「『本謂明公齊蹤伊、呂，匡輔魏室，上報明帝之託，下建萬世之勳。今社稷將危，天下兇兇，此禮之所以不悅也。』因涕泣橫流，宣王曰『且止，忍不能忍。』爽誅後，入為司隸校尉。」[25]可見與司馬懿之關係不淺；其次司馬孚，本爲司馬懿的弟弟，關係當然親密，《晉書》＜安平獻王孚傳＞更記「大將軍曹爽擅權……孚不視庶事，但正身遠害而已。及宣帝誅爽，孚與景帝屯司馬門，以功進爵長社縣侯，加侍中。」[26]；盧毓則因曹爽爲樹其黨與，故希望能掌握人事任用權，但其時的吏部尙書即爲盧毓，故「徙毓僕射，以侍中何晏代毓。頃之，出毓為廷尉，司隸畢軌又枉奏免官。眾論多訟之，乃以毓為光祿勳。」[27]可見盧毓在曹爽專政期間，發展是受到一定的限制，至於是否會造成對曹爽的不滿，則沒有直接証據支持，但在曹爽敗後，「太傅司馬宣王使毓行司隸校尉，治其獄。復為吏部尚書。」[28]則應該可以確認此時盧毓是站在司馬懿一邊的；還有王觀，曾爲太尉司馬宣王從事中郎，曹爽專政期間也受到曹爽的打壓，至「司馬宣王誅爽，使觀行中領軍，據疾

[25] 《三國志》，卷 24＜魏書・孫禮傳＞，頁 693。
[26] 《晉書》，卷 37＜安平獻王孚傳＞，頁 1083。
[27] 《三國志》，卷 22＜魏書・盧毓傳＞，頁 652。
[28] 同前註。

弟義營。」[29]據此則王觀與司馬懿的關係不言而喻；尚有荀顗，《晉書》＜荀顗傳＞載「宣帝輔政，見顗奇之，曰『荀令君子也。』擢拜散騎侍郎，累遷侍中。」[30]最後王昶則不明確，但書傳中記明帝青龍四年詔舉才智時，司馬懿即舉王昶應選，應該也多少可以看到他們的關係。

以上就諸公官的入出遷作一統計，似乎時間上以正始嘉平年間爲發展的分界線、人事上則以司馬懿爲界線，即在正始嘉平年間或在司馬懿後的人士任用，似乎都與司馬懿有密切的關係。

---

[29] 《三國志》，卷 24＜魏書・王觀傳＞，頁 694。

[30] 《晉書》，卷 39＜荀顗傳＞，頁 1150。

第二節 尚書臺及門下官員任遷之研究

這裡開始對尚書等作一考察，不過由於中書、祕書及尚書左右丞（參附表十九：中書監任遷一覽表、附表二十：中書令任遷一覽表、附表廿一：中書郎任遷一覽表、附表廿二：秘書監任遷一覽表、附表廿三：秘書丞任遷一覽表、附表廿四：秘書郎任遷一覽表及附表廿五：尚書左右丞任遷一覽表），人數太少，又沒有具備特別須要注意之處，因此只把它們的升遷一覽表附於後，以供參考，下面的討論將不及於此等官員。

首先是尚書臺的錄尚書事（參附表廿六：錄尚書事任遷一覽表），人選方面只找到 5 人，可以說清一色均以大將軍錄尚書事，而且就州籍上看，只有豫州及司州。至於出遷，只有司馬懿及曹爽不一樣，其餘均死於任上；司馬懿轉任太傅，曹爽遭免職，則是他們政治鬥爭的結果；但自此以後，錄尚書事都為司馬氏擔任。

尚書令全部找到有 11 人（參附表廿七：尚書令任遷一覽表），除一為中軍師，一為大司農，2 人不明外，其餘 7 人全部從尚書臺遷轉尚書令，而且為中軍師者荀攸，前也曾為漢尚書，裴潛在明帝時也曾任尚書，這樣看來，則已知的 9 人中，均來自尚書臺，可見尚書令的出任，由尚書臺內遷的情形佔絕對多數，似已建立尚書令的升遷制度。

至於出遷則較多樣，有三公、大將軍、九卿及去世。

尙書僕射全部 23 人（參附表廿八：尙書僕射任遷一覽表），除 2 人不明入遷途徑外，其餘 21 人中 14 人來自尙書臺，佔 66.66% ，超過半數以上，加侍中者 3 人，佔 14.28 % ；至於出遷，21 人中有 5 人遷轉仍在尙書臺，佔 23.80 % ，免職與去世合計 5 人，與遷轉尙書臺的比例相同，司空及九卿各 4 人，各佔 19.04% ；從入出遷的途徑看，似乎尙書僕射的任用，與尙書令有某種程度的類似，都以尙書臺官員爲主，只是尙書令的要求較尙書僕射更嚴苛。

在人選任用上，似乎在正始後，有值得我們注意的地方，其中盧毓、荀顗在上一節討論司空時已提及都與司馬懿關係良好，不再重複，尙有傅嘏、裴秀及陳泰三人，《三國志》＜魏書‧ 時曹爽秉政，何晏為吏部尚書……遂與嘏不平，因微事以免嘏官……太傅司馬宣王請為從事中郎。」[31]《晉書》＜裴秀傳＞雖記裴秀曾爲曹爽掾屬，爽誅以故吏免，後則「歷文帝安東及衛將軍司馬，軍國之政，多見信納。」[32]可見裴秀初雖爲曹爽掾屬，後則爲司馬家所信賴，所以同書＜賈充傳＞也載「帝（司馬昭）甚信重充，與裴秀、王沈、羊祜、荀勖同受心腹之任。」[33]

---

[31] 《三國志》，卷 21＜魏書．傅嘏傳＞，頁 624。
[32] 《晉書》，卷 35＜裴秀傳＞，頁 1038。
[33] 《晉書》，卷 40＜賈充傳＞，頁 1166。

則其時裴秀已得到司馬氏的完全信任；最後尚有陳泰，《三國志》<魏書陳泰傳>載「司馬景王、文王皆與泰親友。」[34]也都可見與司馬氏關係非淺，如與上一章討論尚書臺職權時，以尚書爲對象作個別分析的結果合看，則司馬氏與嘉平以後的尚書臺官員的關係似乎大體上是不錯的，是否代表司馬氏家族正深化對尚書臺之影響？

尚書找到的人員有 60 人（參附表廿九：尚書任遷一覽表），但有 3 人前後兩任尚書一職，因此以人次爲統計對象，故以 63 人爲人次之總數，關於入遷方面，63 人次中有 16 人次屬門下官員（包括侍中、散騎等），佔 25.39% 約略超過 4 分之 1，另外有 14 人次曾爲尚書郎（雖不一定是直接轉任，仍可算爲尚書系統的官員），佔 22.22% ，由地方官員轉任者有 13 人次，佔 20.63% ，諸公官掾屬有 7 人次，佔 11.11% ，武職轉任者 6 人次，佔 9.52% ；其他尚有一些從御史中丞、祕書郎、太僕、廷尉及大司農等轉任，但人數不多；至於出遷，轉爲尚書令僕者 63 人次中有 15 人次，佔 23.80% ，尚書令僕的員額編制要較尚書爲少，但仍有這麼多比例的尚書轉任令僕，則尚書系統中的內遷情形是應該值得注意的現象，轉任地方刺史或河南尹者 11 人，佔 17.46% ，轉任武職者同爲 11 人次，佔 17.46% 。

---

[34] 《三國志》，卷 22<魏書．陳泰傳>，頁 641。

最後是尚書郎（參附表三十：尚書郎任遷一覽表），全部有 59 人，但有 5 人兩任尚書郎，故以人次算則有 64 人次，其中有 39 人次不明入遷途徑，大抵尚書郎屬尚書臺基層吏員，人數較多，因此對他們的記載也就較不注重，致使不明入遷途徑者佔多數，就餘下的 25 人次來說，有 16 人次是從諸公府掾屬遷入，佔 25 人次中的 64% ，比例很高；地方縣令或其他地方官員 5 人，佔 20% ，餘下就是武職、祕書郎等；至於出遷方面，有一個情形要掌握住，雖然我們在入出遷統計表上看不到尚書郎直接遷任尚書的記錄，但在比對尚書及尚書郎的兩個統計表後，發現名單重複者有 14 人，即尚書郎在出遷其他職後，再度轉任爲尚書者在這 63 人次的名單中，有 14 人次是這樣的情況，佔 22.22 % ；另外就本統計表中所能掌握其出遷途徑者，在 64 人次中有 33 人次，33 人次中出任地方縣令或郡太守者 10 人次，佔 30.30% ，轉任門下官員者有 7 人，佔 21.21% ，轉任武者有 5 人，佔 15.15% ；轉任地方官員約佔三分之一，是否有給予政務系統中下層官員歷練地方行政經驗的意思？

最後是門下，其中侍中全部有 71 人（參附表三十一：侍中任遷一覽表），在入遷方面能找到資料者有 50 人，其中以本職加侍中者 14 人，佔 28% ，由諸公掾屬及門下其他官員遷轉者各有 9 人，各佔 18% ，由地方太守刺史轉任則有 7 人，佔 14% ，其餘尚有一些從御史、尚書、九卿等遷轉，可見侍中在入遷的情況呈現多元的局面；至於出遷方面，在 71 人中找到資料者有 52 人，52 人中出遷到尚書臺者有 15 人，佔 28.8% ，其次是九卿，有 12 人，佔 23.07% ；即留在中央任職者超過半數，所以侍中似有爲政府儲備行政人才的深意。

從以上的資料中，我們看不到侍中的升遷情形，像尚書令僕在升遷上的單一性（即尚書令僕之遷轉多以尚書臺官員爲限，少有其他系統的官員遷入），反而呈現較多元的面貌，即不限制門下以外的官員出任侍中。這情形可能是因爲侍中的職權在備顧問、人選上又以博學英才爲主，只要有才能即不需具備相關資歷，可以破格錄用，以爲培訓。

散騎常侍有 75 人（參附表三十二：散騎常侍任遷一覽表），在入遷方面找到資料者有 39 人，以武職如游擊將軍等有 10 人佔 25.64% ，其次則爲門下中較低級官員，如散騎侍郎等其有 8 人，佔 20.51% ，諸公掾屬有 6 人，佔 15.38% ，另外尚書中書祕書等三機關共有 6 人，也佔 15.38% ，其他尚有地方官員及九卿等，人數不多，值得注意的是武職等佔較多的比重，在前面對侍中的統計中，在入遷的途徑上主要以公府掾屬及地方刺史等爲主，散騎常侍在入遷上卻與侍中大不同，四分之一爲武職人員；如果我們把散騎常侍與侍中合看，是否可看成兩個不同的顧問延攬系統——侍中以政務、行政之優秀人才爲延攬對象，散騎常侍則延攬武職中優秀的人才爲主，形成對皇帝在文武二途上的顧問系統。

至於散騎常侍的出遷途徑，全部 75 人中找到 41 人的記錄，41 人中有 15 人是屬於武職如中領軍等，佔 36.58% ，是否即與上述入遷途徑之推測若合符節，即散騎常侍是爲皇帝在武事方面提供顧問及人才儲備的功能？其次即爲侍中，有 8 人佔 19.51% ，轉任地方者有 6 人，佔 14.63% ，尙書 4 人、九卿 2 人及死亡 5 人。

黃門侍郎找到的全部有 43 人（參附表三十三：黃門侍郎任遷一覽表），入遷只找到 23 人的記錄，諸公或將軍掾屬即有 13 人，佔 56.52% ，各郎官有 8 人，佔 34.78% ，這兩個部份已佔黃門侍郎入遷途徑的 91.30% ，似乎其單一性較強，且與侍中的入遷成份較接近；至於出遷部份，在 43 人中找到 29 人，29 人中有 13 人爲地方官員如刺史等，佔 44.82% ，轉任散騎常侍者有 4 人，佔 13.79% ，其他人數較少，可見轉任地方官員比重較高，但其中文帝及明帝佔的比率更高，13 人中在文明時期就有 11 人，這是值得注意的部份，是否有特意出外歷練的意思？

最後是散騎侍郎（參附表三十四：散騎侍郎任遷一覽表），全部找到 23 人，但 23 人中入遷記錄只有 6 人，數字太低，且來源較多元，以至難有歸納結果；至於出遷，則有 16 人有記載，16 人中有 9 人升轉侍中省，佔 56.25% ，轉任地方官員有 4 人，佔 17.39% 。

不過這部份尚有值得特別注意的地方，《三國志》<魏書崔林傳>注引《魏名臣奏》載文帝詔中有言「**天下之士，欲使皆先歷散騎，然後出據州郡，是吾本意也。**」[35]如果我們跟據這個標準去檢視散騎及黃門侍郎等職官時，發現最貼近文帝希望的，是黃門侍郎（參附表三十三：黃門侍郎任遷一覽表），43 人中有 15 人爲 34.88% ，約佔全部人數的三分之一，其中又以明帝以前最多，15 人中有 10 人佔 66.66 % ，是否這段時間比較能落實文帝時的想法？

[35] 《三國志》，卷 24<魏書・崔林傳>，頁 680。

第三節　綜合分析入出遷資料

綜合以上的資料，我們可以得到有關曹魏政務機關在任遷上的一些訊息，大體如下；就諸公的部份來說，司空似乎是諸公中位階最低的一個職位，因為從入出遷的資料中，可以看到遷入途徑可以是御史大夫、將軍、司隸校尉、九卿及尚書令僕，卻不見其他的公官轉入，而司空的出遷則只有司徒及太尉或死亡三條途徑；反觀司徒，入遷可以是司空、九卿、尚書令及將軍，但出遷則為太尉、太保或死亡，再不然就是入晉後為晉丞相及太尉；至於太尉，入遷可以九卿、司徒、將軍及司空，出遷則只有兩途，太傅或死亡，更值得注意是各將軍可以為三公，但三公不見有遷轉將軍的記載。也就是說三公中司空可以遷轉為司徒或太尉，司徒遷太尉或太保，卻沒有太尉遷轉為司空或司徒，太尉的出遷只會是太傅。（如下略圖）

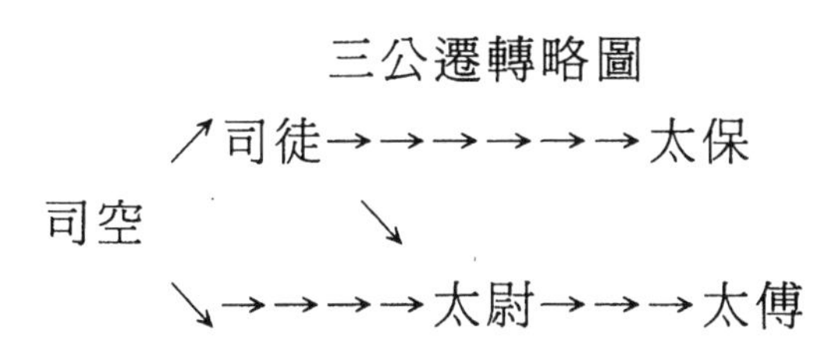

另外，大司馬只有由大將軍遷入，大將軍則由將軍遷出入，與太傅、太保、太尉、司徒及司空等形成另一個升遷系統；兩系統間只有兩處有交集的地方，一為司馬懿個

人以大將軍遷太尉（見前 109 頁），其次則爲將軍這個職位，兩系統中皆有將軍的升遷進入，則將軍是否代表兩系統交集的地方？似不能如此確定，只要稍微比較兩系統中有關將軍的資料，似乎在軍事系統中也有兩個不同的成份，由將軍遷轉司空等官員中，我們發現在名稱上與遷轉大司馬、大將軍等不同（遷轉司空等是征東將軍、征西將軍、征北將軍、鎮西將軍、領軍將軍、鎮軍將軍、車騎及驃騎將軍等，至於大司馬及大將軍系統則以前將軍、軍騎將軍、中軍大將軍、武衛將軍、撫軍大將軍、衛將軍及驃騎將軍等，兩者只有車騎及驃騎將軍重疊。）這部份有待專文討論。

其次再就整體制度的穩定性而言，曹魏前後期似乎都有穩定與不穩定的部份，而界線就在正始年間開始，試以司徒一職而論，在衛臻以前，共有 5 人遷入爲司徒，但他們遷入的途徑不一，衛臻以後則只有司空或將軍，似定於此二途；至於出遷，則文明二帝時期似又較正始以後爲穩定，因爲文明時期多以死亡告終，文明以後則有轉任太尉、太保、卒及仕於晉，途徑較多樣。又如太尉在入遷方面，司馬懿是一個轉變時期，前此太尉三人，入遷途徑均不相同，自司馬懿後則只有將軍，但在王淩後又爲之一變，成爲司空、司徒爲主；至於出遷，只有兩個途徑，太傅或死亡，死亡包括壽終或被殺。

就尚書及門下而言，尚書臺的升遷似已建立制度，尚書令必須尚書臺官員升任，雖然尚書僕射之升任似不及尚書令之限制嚴格，但仍有超過六成的尚書僕射是由尚書升任，同時由尚書郎轉任尚書也約有五分之一，可見尚書臺的內遷情形較普遍。

至於門下，由於職權是備顧問，似有儲備政治人才的功能，故其入遷之途徑較廣泛，不限定於門下官員之升轉，另外，侍中與散騎常侍也隱約有文武不同的兩個系統，以爲領導者提供不同的顧問人才。

最後，如果我們把諸公、尚書及門下以三個不同的系統觀察，我們會發現諸公與尚書臺兩系統的關係較密切，因爲我們可以看到尚書臺系統遷轉諸公系統的比例較大，門下在遷轉方面與諸公系統則較少聯繫；同時尚書臺除基層的尚書郎外，看不到有遷轉侍中省的情形，但門下卻有遷轉尚書臺的情形，不過也只有少數侍中或散騎常侍，基層的黃門侍郎或散騎侍郎也不見有。所以是否可以說尚書臺有它自己一個升遷系統，特別在尚書僕射及尚書令兩職位上，門下的遷轉管道較尚書臺廣闊。

附表十一：相國任遷一覽表

入遷		相國	出遷		
時間	途徑	姓名	途徑	時間	備註
建安廿一年	大理	鍾繇	免	建安廿四年	三國志魏書武帝紀頁47及52
延康元年	御史大夫	華歆	司徒	黃初元年	三國志魏書文帝紀頁58及76
甘露五年	大將軍	司馬昭	薨	咸熙二年	三國志魏書高貴鄉公紀頁143
咸熙二年	撫軍大將軍	司馬炎	篡位		晉書武帝紀頁49

附表十二：太傅任遷一覽表

入遷		太傅	出遷		
時間	途徑	姓名	途徑	時間	備註
黃初七年	太尉	鍾繇	薨	太和四年	三國志魏書明帝紀頁 92 及 97
景初三年	太尉	司馬懿	薨	嘉平三年	三國志魏書齊王芳紀頁 118 及 124
甘露元年	太尉	司馬孚		至魏亡	三國志魏書高貴鄉公紀頁 139

表十三：太保任遷一覽表

入遷		太保	出遷		
時間	途徑	姓名	途徑	時間	備註
景元四年	司徒	鄭沖	晉太傅	泰始元年	晉書鄭沖傳頁 992

附表十四：大司馬任遷一覽表

入遷		大司馬	出遷		
時間	途徑	姓名	途徑	時間	備註
黃初二年	大將軍	曹仁	薨	黃初四年	三國志魏書文帝紀頁 78 及 82
黃初七年	征東大將軍	曹休	薨	太和二年	三國志魏書明帝紀頁 92 及 94
太和四年	大將軍	曹真	薨	太和五年	三國志魏書明帝紀頁 97 及 98
青龍元年		公孫淵			三國志魏書明帝紀頁 101

附表十五：大將軍任遷一覽表

入遷		大將軍	出遷		
時間	途徑	姓名	途徑	時間	備註
建安元年	司隸校尉	曹操	司空	建安元年	三國志魏書武帝紀頁 13
建安元年		袁紹			三國志魏書武帝紀頁 14
延康元年	前將軍	夏侯惇	薨	延康元年	三國志魏書文帝紀頁 58-59
黃初二年	車騎將軍	曹仁	大司馬	黃初二年	三國志魏書文帝紀頁 78
黃初二年		孫權			三國志魏書文帝紀頁 78
黃初七年	中軍大將軍	曹真	大司馬	太和四 年	三國志魏書明帝紀頁 92 及 97
太和四年	驃騎將軍	司馬懿	太尉	青龍三年	三國志魏書明帝紀頁 97 及 104
景初二年		燕王宇	免	景初二年	三國志魏書明帝紀頁 113
景初二年	武衛將軍	曹爽	免	嘉平元年	三國志魏書曹爽傳頁 282
嘉平四年	撫軍大將軍	司馬師	薨	正元二年	晉書景帝紀頁 26-31

正元二年	衛將軍	司馬昭	相國	甘露五年	晉書文帝紀頁33-43

附表十六：太尉任遷一覽表

入遷		太尉	出遷		
時間	途徑	姓名	途徑	時間	備註
黃初元年	太中大夫	賈詡	薨	黃初四年	三國志魏書文帝紀頁 58 及 83
黃初四年	廷尉	鍾繇	太傅	黃初七年	三國志魏書文帝紀頁 83 & 三國志魏書明帝紀頁 92
黃初七年	司徒	華歆	卒	太和五年	三國志魏書明帝紀頁 92 及 98
青龍三年	大將軍	司馬懿	太傅	景初三年	三國志魏書明帝紀頁 104 三國志魏書齊王芳紀頁 118
景初三年	征東將軍	滿寵	薨	正始三年	三國志魏書齊王芳紀頁 118 及 120
正始三年	領軍將軍	蔣濟	薨	嘉平元年	三國志魏書齊王芳紀頁 120 及 124
嘉平元年	司空	王淩	討司馬懿失敗自殺	嘉平三年	三國志魏書齊王芳紀頁 124
嘉平三年	司空	司馬孚	太傅	甘露元年	三國志魏書齊王芳紀頁 124 三國志魏書高貴鄉公紀頁 139

甘露元年	司徒	高柔	薨	景元四年	三國志魏書高貴鄉公紀頁 139 三國志魏書陳留王紀頁 149
咸熙元年	征西將軍	鄧艾	被殺	咸熙元年	三國志魏書陳留王紀頁 149 及 150
咸熙元年	司空	王祥			三國志魏書陳留王紀頁 150

附表十七：司徒任遷一覽表

入遷		司徒	出遷		
時間	途徑	姓名	途徑	時間	備註
黃初元年	相國	華歆	太尉	黃初七年	三國志魏書華歆傳頁 403
黃初七年	司空	王朗	薨	太和二年	三國志魏書王朗傳頁 409
太和四年	衛尉	董昭（行司徒事太和六年拜真）	薨	青龍四年	三國志魏書董昭傳頁 442
景初元年	尙書令	陳矯	薨	景初元年	三國志魏書陳矯傳頁 645
景初二年	大中大夫	韓暨	薨	景初二年	三國志魏書韓暨傳頁 677
景初二年	司空	衛臻	遜位	正始九年	三國志魏書衛臻傳頁 647
正始九年	司空	高柔	太尉	甘露元年	三國志魏書高柔傳頁 682
甘露元年	司空	鄭沖	太保	景元四年	晉書鄭沖傳頁 991
景元四年	鎭西將軍	鍾會	反于蜀	咸熙元年	三國志魏書鍾會傳頁 784
咸熙元年	征北將軍	何曾	晉丞相	咸熙元年	晉書何曾傳頁 996

咸熙二年	驃騎將軍	司馬望	入晉遷於太尉		三國志魏書司馬朗傳頁 468

附表十八：司空任遷一覽表

入遷		司空	出遷		
時間	途徑	姓名	途徑	時間	備註
黃初元年	御史大夫改	華歆	司徒	黃初元年	三國志魏書華歆傳頁 403
黃初元年	御史大夫	王朗	司徒	黃初七年	三國志魏書王朗傳頁 409
黃初七年	鎮軍大將軍	陳群	薨	青龍四年	三國志魏書陳群傳頁 635
景初元年	尚書右僕射	衛臻	司徒	景初二年	三國志魏書衛臻傳頁 647
景初二年	司隸校尉	崔林	薨	正始五年	三國志魏書崔林傳頁 679
正始六年	驃騎將軍	趙儼	薨	正始六年	三國志魏書趙儼傳頁 668
正始六年	太常	高柔	司徒	正始九年	三國志魏書高柔傳頁 682
正始九年	光祿大夫	徐邈	不就		三國志魏書高柔傳頁 739
正始九年	車騎將軍	王淩	太尉	嘉平元年	三國志魏書王淩傳頁 757
嘉平元年	司隸校尉	孫禮	薨	嘉平二年	三國志魏書孫禮傳頁 691

嘉平三年	尚書令	司馬孚	太尉	嘉平二年	晉書安平獻王孚傳頁 1085
嘉平三年	光祿勳	鄭沖	司徒	甘露元年	晉書鄭沖傳頁991
甘露元年	尚書左僕射	盧毓	薨	甘露二年	三國志魏書盧毓傳頁 650
甘露二年	征東大將軍	諸葛誕	發兵反死	甘露二年	三國志魏書諸葛誕傳頁 769
甘露三年	驃騎將軍	王昶	薨	甘露四年	三國志魏書王昶傳頁 743
景元元年	尚書右僕射	王觀	薨	景元元年	三國志魏書王觀傳頁 693
景元元年	司隸校尉	王祥	太尉	咸熙元年	晉書王祥傳頁987
咸熙元年	尚書左僕射	荀顗			晉書荀顗傳頁1150

附表十九：中書監任遷一覽表

入遷		中書監	出遷		
時間	途徑	姓名	途徑	時間	備註
黃初初	祕書令	劉放 （加給事中） （明帝加散騎常侍） （明帝加侍中） （齊王加左光祿大夫）	驃騎將軍	正始六年	三國志魏書劉放傳頁 456
嘉平末	中書令	孟康			三國志魏書杜恕傳頁 506
		朱整			
嘉平六年	侍中	韋誕	光祿大夫		三國志魏書劉劭傳頁 621

附表二十：中書令任遷一覽表

入遷		中書令	出遷		
時間	途徑	姓名	途徑	時間	備註
黃初初	右丞	孫資 （加給事中） （加散騎常侍） （加侍中） （加右光祿大夫）	衛將軍	正始六年	三國志魏書劉放傳頁 457
曹爽誅	遜位爲特進	孫資 （侍中領）	遜位	嘉平二年	三國志魏書劉放傳頁 460
嘉平四年	尚書僕射	李豐	伏誅	嘉平六年	三國志魏書夏侯玄傳頁128
嘉平末	渤海太守	孟康	中書監		三國志魏書杜恕傳頁 506
甘露元年		虞松			三國志魏書鍾會傳頁 785
		劉階			
		甄備			

附表廿一：中書郎任遷一覽表

入遷		中書郎	出遷		
時間	途徑	姓名	途徑	時間	備註
	太子中庶子	司馬孚（中書郎、給事常侍）	黃門侍郎（加騎都尉）		晉書安平獻王孚傳頁1082
太和年間		刁幹			
		韓暨			三國志魏書韓暨傳頁677[36]
明帝時	中郎	鄧颺（中書郎）	穎川太守	正始初	三國志魏書曹爽傳頁288
		張緝（中書郎）	東莞太守		三國志魏書張既傳頁477
	大將軍司馬宣王辟	王基（中書侍郎）	安平太守		三國志魏書王基傳頁750
正始中	祕書郎	鐘會（尚書中書侍郎）	黃門侍郎		三國志魏書鍾會傳頁784
		夏侯和			三國志魏書夏侯淵傳頁273[37]

[36] 三國志本傳未見任此職。

[37] 三國志本傳未見任此職。

	通事郎	衛瓘（中書郎）	散騎常侍		晉書衛瓘傳頁 1055
	大將軍曹爽辟爲掾	王沈（中書門下侍郎）	免		晉書王沈傳頁 1143
	司馬宣王辟爲掾	虞松（中書郎）	太守		三國志魏書鍾會傳頁 784
		王伯興			
高貴鄉公時		羊祜（中書侍郎）	給事中、黃門郎		晉書羊祜傳頁 1013
		任愷（中書侍郎）	員外散騎常侍		晉書任愷傳頁 1285
	長史兼中書郎	張華（中書郎）	黃門侍郎	晉受禪	晉書張華傳頁 1070
		裴楷			
	辟大將軍曹爽掾	荀勖（中書通事郎）	安陽令		晉書荀勖傳頁 1152
		衛瓘（通事郎）	中書郎		晉書衛瓘傳頁 1055
		郄湛（通事郎）	太學博士		晉書郄湛傳頁 2380
		楊文宗			
		華廙（中書通事）			

		紀元龍 （中書主書令）			
		郤揖			

附表廿二：秘書監任遷一覽表

入遷		秘書監	出遷		
時間	途徑	姓名	途徑	時間	備註
黃初時		王象（散騎常侍領）	病卒		三國志魏書楊俊傳頁664
明帝時	散騎常侍	王肅（散騎常侍領秘書監兼崇文觀察酒）	廣平太守	正始元年	三國志魏書王肅傳頁416
		庾峻			晉書庾峻傳頁1391[38]
		孫炎			
曹爽誅後	治書侍御史	王沈	散騎常侍	正元中	晉書王沈傳頁1143
		秦靜			
高貴鄉公時	黃門郎	羊祜	相國從究中郎		晉書羊祜傳頁1014
		司馬			
		裴演			

[38] 據晉書本傳爲祕書監時已入晉朝，非魏時。

附表廿三：秘書丞任遷一覽表

入遷		秘書丞	出遷		
時間	途徑	姓名	途徑	時間	備註
黃初元年	參丞相軍事	劉放（左丞）	祕書令	黃初元年	三國志魏書劉放傳頁 457
黃初元年	參丞相軍事	孫資（右丞）	中書令	黃初初	三國志魏書劉放傳頁 457
黃初中	歷守二縣	嚴苞	西平太守	文帝時	三國志魏書王肅傳頁 421
黃初中	軍謀掾	薛夏	病亡		三國志魏書王肅傳頁 421
明帝時		何禎			三國志魏書劉劭傳頁 622
高貴鄉公時	博士	庾峻	侍御史		晉書庾峻傳頁 1391

附表廿四：祕書郎任遷一覽表

入遷		祕書郎	出遷		
時間	途徑	姓名	途徑	時間	備註
魏國既建	贊令	劉放	左丞	文帝即位	三國志魏書劉放傳頁 457
魏國既建	縣令	孫資	右丞	文帝即位	三國志魏書劉放傳頁 457
	太子舍人	劉劭	尙書郎	黃初中	三國志魏書劉劭傳頁 618
黃初中	州別駕	王基	州別駕		三國志魏書王基傳頁 750
正始中		鍾會	尙書中書侍郎		三國志魏書鍾會傳頁 784
		劉璠			
		鄭默			
		何楨			
	郎中	杜摯（校書郎）	卒		三國志魏書劉劭傳頁 622

附表廿五：尙書左右丞任遷一覽表

入遷		尙書左右丞	出遷		
時間	途徑	姓名	途徑	時間	備註
		曹璠（左丞）			
	侍御史	石鑒（左丞）	御史中丞		晉書石鑒傳頁1265
		郤晞（左丞）			
	黎陽令	鄭袤（右丞）	濟陰太守		晉書鄭袤傳頁1249

附表廿六：錄尚書事任遷一覽表

入遷		錄尚書事	出遷		
時間	途徑	姓名	途徑	時間	備註
黃初六年	尚書令	陳群（鎮軍大將軍錄尚書事）	卒	青龍四年	三國志魏書陳群傳頁 635
黃初六年	尚書僕射	司馬懿（撫軍大將軍錄尚書事）	太傅	景初三年	三國志魏書文帝紀頁 85 三國志魏書齊王芳紀頁 118
景初元年	大將軍	曹爽	免	嘉平元年	三國志魏書曹爽傳頁 282
嘉平三年	撫軍大將軍	司馬師	死	正元二年	三國志魏書齊王芳紀頁 124
正元二年	大將軍	司馬昭	死	咸熙二年	三國志魏書高貴鄉公紀頁 133

附表廿七：尙書令任遷一覽表

入遷		尙書令	出遷		
時間	途徑	姓名	途徑	時間	備註
建安十八年	中軍師	荀攸	卒		三國志魏書荀攸傳頁 324
建安末	尙書	徐奕	中尉		三國志魏書徐奕傳頁 377
建安末	漢尙書	劉先			三國志魏書劉表傳頁 216
黃初元年	尙書	桓階（加侍中）	卒	黃初三年	三國志魏書桓階傳頁 632
黃初二年	尙書左僕射加侍中	陳群（領中領軍）	鎮軍大將軍		三國志魏書陳群傳頁 635
黃初元年	尙書（署吏部）	陳矯（加侍中光祿大夫）	司徒	景初元年	三國志魏書陳矯傳頁 642
景初元年		薛悌		景初三年	三國志魏書陳矯傳頁 645
		和洽			晉書和嶠傳頁 1283
正始初	大司農	裴潛	喪父去官拜光祿大夫		三國志魏書裴潛傳頁 673
正始五年	尙書右僕射	司馬孚（加侍中）	司空	嘉平三年	晉書安平獻王孚傳頁 1083

咸熙中	尙書僕射	裴秀			晉書裴秀傳頁1037[39]

[39] 據晉書應爲尙書僕射。

附表廿八：尚書僕射任遷一覽表

入遷		尚書僕射	出遷		
時間	途徑	姓名	途徑	時間	備註
建安十八年	左軍師	涼茂	中尉		三國志魏書涼茂傳頁 338
	丞相東曹掾	何夔	太子少傅		三國志魏書何夔傳頁 378
	右軍師	毛玠	免黜		三國志魏書毛玠傳頁 374
黃初元年	太子太傅	邢顒（侍中尚書僕射）	司隸校尉	黃初三年	三國志魏書邢顒傳頁 383
黃初元年	尚書	陳群（加侍中）	尚書令	黃初二年	三國志魏書陳群傳頁 633
黃初四年	侍中	司馬懿（右僕射）	撫軍大將軍	黃初六年	三國志魏書文帝紀頁 85 及晉書宣帝紀頁 4
黃初四年	尚書守司隸校尉	杜畿	卒		三國志魏書杜畿傳頁 493
明帝即位	侍中 吏部尚書	衛臻（右僕射加侍中）	司空	景初元年	三國志魏書衛臻傳頁 648
太和中		王思（僕射）			三國志魏書辛毗傳頁 698

太和中	尚書	徐宣（左僕射加侍中光祿大夫）	薨	青龍四年	三國志魏書徐宣傳頁 645
太和中	尚書	司馬孚（尚書右僕射）	尚書令	正始五年	晉書安平獻王孚傳頁 1083
齊王即位	吏部尚書	盧毓	廷尉		三國志魏書盧毓傳頁 650
正始中	永寧太僕侍中	李豐（僕射）	中書令	嘉平四年	三國志魏書夏侯玄傳頁 301
正元初	吏部尚書（加奉車都尉）	盧毓（僕射加光祿大夫）	遜位遷司空	甘露元年	三國志魏書盧毓傳頁 650
正元二年	尚書	傅嘏（守尚書僕射）	薨	正元二年	三國志魏書傅嘏傳頁 627
甘露元年	征西將軍	陳泰（右僕射加侍中光永大夫）	左僕射		三國志魏書陳泰傳頁 638
	右僕射	陳泰（左僕射）	薨	景元二年	三國志魏書陳泰傳頁 638
甘露元年	吏部尚書	崔贊			晉書崔洪傳頁 1287
正元初	尚書加駙馬都尉	王觀（右僕射）	司空	景元元年	三國志魏書王觀傳頁 694
景元元年	尚書	裴秀（右僕射）	左僕射	咸熙元年	晉書裴秀傳頁 1037

景元元年	尚書	荀顗（左僕射）	司空	咸熙元年	晉書荀顗傳頁1150
咸熙元年	右僕射	裴秀（左僕射）	尚書令	泰始元年	晉書裴秀傳頁1037[40]
咸熙元年		羊瑾			晉書羊琇傳頁2410

[40] 晉書裴秀傳並未記左右僕射之分。

附表廿九：尚書任遷一覽表

入遷		尚書	出遷		
時間	途徑	姓名	途徑	時間	備註
建安十八年	留府長史	徐奕	尚書令		三國志魏書徐奕傳頁 377
建安十八年	東西曹掾屬徵事	崔琰	中尉		三國志魏書崔琰傳頁 368
建安十八年	侍中	傅巽		太和二年	
建安十八年	京兆尹	張既	雍州刺史		三國志魏書張既傳頁 471
建安十八年	丞相東曹屬	常林	少府	黃初元年	三國志魏書常林傳頁 658
建安十八年	侍中	桓階	尚書令（加侍中）	黃初元年	三國志魏書徐奕傳頁 631
建安廿四年	西曹屬	陳矯（署吏部）	尚書令	黃初元年	三國志魏書陳矯傳頁 645
延康元年	河東太守	杜畿（守司隸校尉）	尚書僕射	黃初三年	三國志魏書杜畿傳頁 497
延康元年	侍中領丞相東西曹掾	陳群	尚書僕射（加侍中）	黃初元年	三國志魏書陳群傳頁 633
延康元年	魏國侍中	衛覬	漢朝侍郎	延康元年	三國志魏書衛覬傳頁 611
黃初元年	漢侍郎	衛覬	卒	太和四年	三國志魏書衛覬傳頁 611

黃初中	清河太守	司馬孚（度支尚書）	尚書右僕射	景初元年	晉書安平獻王孚傳頁 1081
黃初元年	丞相長史	司馬懿	督軍、御史中丞	黃初元年	晉書宣帝紀頁 3-4
黃初元年	御史中丞	崔林	幽州刺史	黃初二年	三國志魏書崔林傳頁 679
黃初四年	東中郎將	蔣濟	中護軍	太和二年	三國志魏書蔣濟傳頁 452
黃初六年	度支中郎將	趙儼	征東軍師	黃初五年	三國志魏書趙儼傳頁 668
黃初六年	散騎常侍	徐宣	左僕射（加侍中光祿大夫）	明帝即位	三國志魏書徐宣傳頁 645
黃初六年	督軍糧執法	杜襲	大將軍軍師	太和二年	三國志魏書杜襲傳頁 664
黃初七年	散騎常侍	衛臻（侍中吏部尚書）	右僕射（加侍中）	太和四年	三國志魏書衛臻傳頁 647
明帝即位	監荊州諸軍事	趙儼（出監豫州軍事）	大司馬軍師		三國志魏書趙儼傳頁 668
太和元年	荊州刺史	裴潛	河南尹		三國志魏書裴潛傳頁 673
太和二年	安西將軍	夏侯楙		太和三年	三國志魏書夏侯惇傳頁 269

太和三年	御史中丞	諸葛誕	免	太和四年	三國志魏書諸葛誕傳頁 769
太和中		許混			三國志魏書和洽傳頁 658
太和中	清河、東郡太守	韓宣	大鴻臚	明帝時	三國志魏書裴潛傳頁 675
太和中	陽平太守	孫禮	大將軍長史加散騎常侍	景初三年	三國志魏書孫禮傳頁 691
太和四年	中領軍	桓範	征虜將軍東中郎將	太和五年	三國志魏書曹爽傳頁 290
太和中	侍中	許允	中領軍	嘉平三年	三國志魏書夏侯玄傳頁 302
太和中	太尉從事中郎	王觀	河南尹		三國志魏書王觀傳頁 693
太和六年	河內太守	劉靖	河南尹	青龍元年	三國志魏書傳頁 464
太和六年		趙咨		青龍二年	三國志魏書滿寵傳頁 724
正始二年	侍中	盧毓(吏部)	左僕射	景初三年	三國志魏書盧毓傳頁 650
正始三年		繆襲			三國志魏書劉劭傳頁 620
正始中	侍中	畢軌	司隸校尉		三國志魏書曹爽傳頁 289

正始九年	并州刺史 使持節護匈奴中郎將	陳泰	雍州刺史	嘉平元年	三國志魏書陳泰傳頁 638
正始年間	侍中	何晏		嘉平二年	三國志魏書曹爽傳頁 292
正始年間		黃休			
正始年間		郭彝			
嘉平元年	散騎常侍	丁謐	族誅	嘉平元年	三國志魏書曹爽傳頁 289
嘉平元年	侍中	鄧颺		嘉平元年	三國志魏書曹爽傳頁 289
嘉平元年	河南尹	王基	荆州刺史	嘉平二年	三國志魏書王基傳頁 750
嘉平元年	光祿勳 行司隸校尉	盧毓 （吏部尚書）	尚書僕射（加光祿大夫）	嘉平四年	三國志魏書盧毓傳頁 652
嘉平元年	黃門選部郎	袁侃	卒	嘉平三年	三國志魏書袁渙傳頁 336
嘉平二年	太僕行中領軍	王觀 （加駙馬都尉）	右僕射	甘露元年	三國志魏書王觀傳頁 694
嘉平三年		王廣	坐父淩罪被殺	嘉平三年	三國志魏書王淩傳頁 758[41]

[41] 傳中未見有出任尚書之記載。

嘉平三年	河南尹	傅嘏	守尚書僕射	正元二年	三國志魏書傅嘏傳頁 627
嘉平初年	御史中丞	陳騫（行征蜀將軍、行安東將軍）	使持節、都督淮北諸軍事、安東將軍	甘露三年	晉書陳騫傳頁 1035
嘉平五年		袁亮		甘露二年	三國志魏書袁渙傳頁 336
嘉平六年		崔贊	尚書僕射	甘露元年	晉書崔洪傳頁 1287
正元元年	司隸校尉	何曾	鎮北將軍	正元元年	晉書何曾傳頁 994
正元二年	侍中	荀顗	左僕射（領吏部）	景元元年	晉書荀顗傳頁 1150
正元二年	廷尉	鍾毓	青州刺史	甘露三年	三國志魏書鍾毓傳頁 400
甘露二年	散騎常侍	裴秀	尚書僕射	景元元年	晉書裴秀傳頁 1037
甘露二年	揚武將軍荊州刺史	魯芝	監青州刺史、振武將軍、青州刺史	景元二年	晉書魯芝傳頁 2328
甘露四年	司隸校尉	王經	死		三國志魏書夏侯尚傳頁 304

甘露年間	祕書郎	鍾會（尙書中書侍郎）			三國志魏書鍾會傳頁 784
景元元年	侍中	王沈	監豫州諸軍事、奮武將軍、豫州刺史	景元二年	晉書王沈傳頁 1143
咸熙元年	大司農	盧欽（吏部尙書）	平南將軍	泰始初	晉書盧欽傳頁 1255
咸熙元年		蘇愉		咸熙二年	三國志魏書蘇則傳頁 493
咸熙中		華表			三國志魏書華歆傳頁 406
		和逌			三國志魏書和洽傳頁 657 晉書山濤傳頁 1224
		王默			
		蔡睦			晉書蔡謨傳頁 2033
		華歆			三國志魏書華歆傳頁 403[42]

[42] 疑爲華表之誤，因爲傳中記華歆只在建安年間任職尙書。

附表三十：尚書郎任遷一覽表

入遷		尚書郎	出遷		
時間	途徑	姓名	途徑	時間	備註
建安十八年	西曹議令史	盧毓（吏部）	黃門侍郎	黃初元年	三國志魏書盧毓傳頁 650
建安十八年	丞相倉曹屬	高柔（尚書郎）	丞相理曹掾		三國志魏書高柔傳頁 683
建安十八年	東曹議令史	徐邈（尚書郎）	領隴西太守轉南安		三國志魏書徐邈傳頁 739
	茂陵令	衛覬（尚書郎）	治書侍御史		三國志魏書衛覬傳頁 611
黃初中	丞相屬	胡質（吏部）	常山太守		三國志魏書胡質傳頁 741
黃初中	滎陽令	諸葛誕（吏部）	御史中丞		三國志魏書諸葛誕傳頁 769
		龐德公（吏部）			三國志魏書龐統傳頁 954[43]
黃初元年	高唐、陽泉、酇、任令	王觀（尚書郎）	廷尉監		三國志魏書王觀傳頁 693
黃初中	丞相軍謀掾	韓宣（尚書郎）	清河、東郡太守		三國志魏書裴潛傳頁 675

[43] 似應為龐山民，任黃門吏部郎，不知兩名是否相通。

黃初中	祕書郎	劉劭（尚書郎）	散騎侍郎		三國志魏書劉劭傳頁 617
		諸葛誕（尚書郎）	滎陽令		三國志魏書諸葛誕傳頁 769
	文學	鄭沖（尚書郎）	陳留太守		晉書鄭沖傳頁 991
明帝時		許允（選曹郎）			三國志魏書夏侯玄傳頁 302
		劉陶（吏部）			
	平原侯文學	毌丘儉（尚書郎）	羽林監出爲洛陽典農		三國志魏書毌丘儉傳頁 761
		廉昭			
太和中	騎都尉參征蜀軍	張緝（尚書郎）			三國志魏書張既傳頁 478
太和中		鄧颺（尚書郎）	洛陽令		三國志魏書曹爽傳頁 288
		魏衡			
		楊偉			
	太尉掾	鄧艾（尚書郎）	出參征西軍事遷南安太守		三國志魏書鄧艾傳頁 775
	相國東曹屬	任嘏（尚書郎）	黃門侍郎		三國志魏書王昶傳頁 748

		王業			三國志魏書鍾會傳頁 795
		劉陶			
正始初	司空陳群掾	傅嘏 （尚書郎）	黃門侍郎		三國志魏書傅嘏傳頁 622
正始中		王弼 （臺郎）			三國志魏書鍾會傳頁 795
		阮籍 （尚書郎）	病免		晉書阮籍傳頁 1359
正始八年	祕書	鍾會 （尚書中書侍郎）	黃門侍郎		三國志魏書鍾會傳頁 784
		楊綜			
	大將軍曹爽掾	盧欽 （尚書郎）	免官		晉書盧欽傳頁 1255
		石苞			晉書石苞傳頁 1000[44]
		樂廣			晉書樂廣傳頁 1243[45]
	浚儀令	魏舒	汰出		晉書魏舒傳頁 1185
	河南尹丞	劉寔	廷尉正		晉書劉寔傳頁 1191

[44] 未見任尚書郎的記載。
[45] 未見任尚書郎的記載，只有中書侍郎的記載。

	司空掾	鄭袤	黎陽令		晉書鄭袤傳頁1249
		李允			
		石鑒	侍御史		晉書石鑒傳頁1265
		華嶠			
		杜預	參相府軍事		晉書杜預傳頁1025
		陳騫（尚書郎）	中山、安平太守		晉書陳騫傳頁1035
		裴楷			
		衛瓘			
		賈充（尚書郎）	黃門侍郎		晉書賈充傳頁1165
		周浚（尚書郎）	御史中丞		晉書周浚傳頁1657
	騎都尉參軍事行安南太守	魯芝（尚書郎）	參大司馬軍事		晉書魯芝傳頁2329
	辟公府	王宏（尚書郎）	給事中		晉書王宏傳頁2332
		徐劭			
	太尉掾	范粲（尚書郎）	征西司馬		晉書范粲傳頁2431
		劉熙			
		高延			

		袁侃（黃門選部郎）	尚書		三國志魏書袁渙傳頁 336
		裴徽（吏部）			三國志魏書鍾會傳頁 795
	趙國相	山濤（尚書吏部郎）	大將軍從事中郎		晉書山濤傳頁 1223
		裴楷（吏部）			
		魏衡（吏部）			
		劉基（吏部）			
		李允（吏部）			
		高達（吏部）			
		何貞（比部）			
		丁謐（度支郎中）	散騎常侍		三國志魏書曹爽傳頁 289
	鎧曹屬	唐彬（尚書水部郎）			晉書唐彬傳頁 1217
		荀訥（左民）			

		鄭默 （考功）			
		裴楷 （定科）			

附表三十一：侍中任遷一覽表

入遷		侍中	出遷		
時間	途徑	姓名	途徑	時間	備註
建安十八年	軍謀祭酒	王粲	卒	建安廿二年	三國志魏書王粲傳頁 597
建安十八年	丞相掾屬	和洽	郎中令	建安末	三國志魏書和洽傳頁 655
建安十八年	丞相軍祭酒	杜襲	丞相留府長史	建安末	三國志魏書杜襲傳頁 666
建安十八年	尚書	衛覬	尚書	延康元年	三國志魏書衛覬傳頁 610
建安末		耿紀			
建安末	御史中丞	陳群（領丞相東西曹掾）	尚書	延康元年	三國志魏書陳群傳頁 633
建安末	虎賁中郎將	桓階（時間上似應在陳群前）	尚書	建安末	三國志魏書桓階傳頁 631

延康元年	議郎參曹仁軍事	趙儼	駙馬都尉	延康元年	三國志魏書趙儼傳頁668
延康元年	丞相倉曹屬	劉廙	卒	黃初二年	三國志魏書傳頁616
延康元年	侍御史	鮑勛（駙馬都尉兼）	宮正（御史中丞）	黃初四年	三國志魏書鮑勛傳頁383
延康元年		鄭稱			
黃初元年	丞相長史	辛毗	衛尉	太和元年	三國志魏書辛毗傳頁698
黃初元年	行軍長史兼領軍	劉曄	太中大夫	太和六年	三國志魏書劉曄傳頁448
黃初元年		夏侯楙	尙書、安西將軍	不詳	三國志魏書夏侯惇傳頁268
黃初元年	揚州刺史	溫恢	魏郡太守	黃初二年	三國志魏書溫恢傳頁479
黃初二年	督軍、御史中丞	司馬懿	尙書右僕射	黃初二年	晉書宣帝紀頁4

黃初二年	大鴻臚	董昭	太常、光祿大夫、給事中	黃初五年	三國志魏書董昭傳頁 436
黃初二年	金城太守加護羌校尉	蘇則	左遷東平相	黃初四年	三國志魏書蘇則傳頁 493
黃初初	太子太傅	邢顒	尚書右僕射、司隸校尉、太常	黃初元年	三國志魏書邢顒傳頁 382
黃初初	尚書	衛臻	吏部尚書	不詳	三國志魏書衛臻傳頁 647
黃初三年		黃權（鎮軍將軍加）	車騎將軍儀同三司	景初三年	三國志魏書黃權傳頁 1043
黃初五年		傅巽	卒	太和中	三國志魏書劉表傳頁 214
太和初	散騎常侍	應璩	大將軍長史	景初三年	三國志魏書王粲傳頁 604
太和初		繆襲			三國志魏書傳頁 620

太和中	尙書	徐宣（左僕射加侍中光祿大夫）	薨	青龍四年	三國志魏書徐宣傳頁645
太和四年	北中郎將都幽幷諸軍事	吳質	卒	太和四年	三國志魏書吳質傳頁609
太和五年	郎中	韋誕	中書監	正始九年	三國志魏書劉劭傳頁621
		甄溫			三國志魏書后妃傳頁162
青龍初		劉放（中書監加）	驃騎將軍	正始六年	三國志魏書劉放傳頁456
青龍初		孫資（中書令加）	衛將軍	正始六年	三國志魏書劉放傳頁457
青龍二年	安平、廣平太守	盧毓	吏部尙書	青龍四年或景初元年	三國志魏書盧毓傳頁651
青龍中	尙書令	陳矯（加侍中）	司徒		三國志魏書陳矯傳頁642

青龍中	散騎常侍	高堂隆（領太史令）	光祿勳	景初元年	三國志魏書高堂隆傳頁712
明帝時	郡太守	董遇	大司農		三國志王肅傳頁420
明帝時		鄭德（輔國大將軍加侍中）			三國志魏書后妃傳頁162-164
齊王即位	散騎常侍	應璩	大將軍長史		三國志魏書王粲傳604
正始二年時		孫邕			
正始四年	議郎	王肅	太常	正始四年	三國志魏書王肅傳頁418
正始中	大將軍	曹爽（加侍中）	誅	嘉平元年	三國志魏書曹爽傳頁282
正始中	大將軍長史	鄧颺	尚書		三國志魏書曹爽傳頁288
正始中	中護軍	畢軌	尚書、司隸校尉		三國志魏書曹爽傳頁289

正始中	散騎侍郎	何晏	尚書僕射		三國志魏書曹爽傳頁292
正始中	永寧太僕	李豐	尚書僕射	正始中	三國志魏書夏侯玄傳頁301
正始七年	散騎常侍	鍾毓	魏郡太守	正始七年	三國志鍾毓傳頁400
正始八年		鍾統			疑爲鍾毓之誤
正始九年		應璩	卒	嘉平四年	三國志魏書王粲傳604
正始九年		鄭□		嘉平五年	
正始九年	郡守	許允	尚書、領軍將軍	嘉平三年	三國志魏書夏侯尚傳頁303
嘉平初	尚書令	司馬孚（加侍中）	司空		晉書安平獻王孚列傳頁1081
嘉平初	河內太守	何曾	母憂去官		晉書何曾列傳頁994[46]

---

[46] 《晉書》，卷 33<何曾傳>記載之時間應該有誤，因爲文章接著尚稱嘉平中曹爽專政云云，嘉平應爲正始，則何曾何時爲侍中即不能

嘉平中	廣平太守	鄭袤	少府		晉書鄭袤列傳頁1249
嘉平中	御史中丞	鍾毓	廷尉		三國志魏書鍾毓傳頁400
嘉平四年		司馬師（大將軍加）			晉書景帝紀頁26
嘉平六年		鄭小同			
嘉平六年	散騎侍郎	荀顗	騎都尉		晉書荀顗列傳頁1150
嘉平六年		趙酆			
嘉平六年	散騎黃門郎	華表	尙書		晉書華表列傳頁1260
正元初	尙書右僕射	陳泰（加侍中光祿大夫）	領軍將軍		三國志魏書陳泰傳頁638
正元二年	衛將軍	司馬昭（大將軍加）			晉書文帝紀頁33

確知。

正元中	太宰中郎	范粲	太子中庶子	泰始中	晉書隱逸列傳頁2431
甘露二年		和逌		景元元年	
甘露二年		孫壹			
甘露四年	散騎常侍	王沈	尙書	景元元年	晉書王沈列傳頁1143[47]
景元元年	散騎常侍	衛瓘	廷尉	景元三年	晉書衛瓘傳頁1055
咸熙元年	太尉	王祥（加侍中）	太保	泰始元年	晉書王祥列傳頁988
咸熙二年		鄭沖			晉書鄭沖列傳頁991[48]
		阮諶			
		周生烈			
		武周			
		王恂			三國志魏書王肅傳頁418

47 《晉書》記時間爲正元中任散騎常侍侍中等與此處不同。
48 《晉書》本傳沒有記其爲侍中。

表三十二：散騎常侍任遷一覽表

入遷		散騎常侍	出遷		
時間	途徑	姓名	途徑	時間	備註
建安廿五年	參軍事	夏侯尚	中領軍	建安廿五年	三國志魏書夏侯尚傳頁 293
延康元年	戶曹掾	衛臻	尚書		三國志魏書衛臻傳頁 647
延康元年		傅巽			三國志魏書劉表傳頁 214
延康元年		孟達（領新城太守）			三國志魏書明帝紀頁 93
黃初元年	丞相掾屬	王淩	兗州刺史		三國志魏書王淩傳頁 757
黃初元年	兗州刺史	裴潛	魏郡、潁川典農中郎將、荊州刺史		三國志魏書裴潛傳頁 671
黃初元年	散騎侍郎	王象（領秘書監）	病死		三國志魏書楊俊傳頁 664
黃初二年	司隸校尉	徐宣	尚書		三國志魏書徐宣傳頁 645
黃初二年	魏太子庶子	荀緯	越騎校尉		三國志魏書王粲傳頁 604

黃初元年	東中郎將	蔣濟	東中郎將	黃初三年	三國志魏書蔣濟傳頁 450
黃初中		劉靖			三國志魏書劉靖傳頁 463[49]
黃初中	游擊將軍	卞蘭 （加散騎常侍）	薨		三國志魏書后妃傳頁 158
		夏侯湛			晉書夏侯湛傳頁 1491[50]
		孔乂			三國志魏書倉慈傳頁 513
太和初	中書監	劉放 （加散騎常侍）	中書監加侍中	青龍初	三國志魏書劉放傳頁 456
太和初	中書令	孫資 （加散騎常侍）	中書令加侍中	青龍初	三國志魏書劉劭傳頁 457
太和中		荀彪			
太和初		繆襲			三國志魏書繆襲傳頁 620
太和初	陳留太守	高堂隆	侍中領太史令	青龍中	三國志魏書高堂隆傳頁 709
太和三年	散騎黃門侍郎	王肅 （領祕書監兼崇文觀祭酒）	廣平太守	正始元年	三國志魏書王肅傳頁 418

[49] 似未曾任職散騎常侍。
[50] 似未曾任職散騎常侍。

太和四年	虎賁中郎將兼太尉	甄像	伏波將軍	青龍二年	三國志魏書后妃傳頁 162
太和中		曹肇	屯騎校尉		三國志魏書曹肇傳頁 280
太和中	散騎侍郎	曹爽（城門校尉加散騎常侍）	武衛將軍		三國志魏書曹爽傳頁 282
太和中		應璩	侍中	齊王即位	三國志魏書王粲傳頁 604
景初中		司馬師	中護軍		晉書景帝紀頁 25
景初中		蘇林			三國志魏書蘇林傳頁 620
景初末		甄暢（射聲校尉加）	薨	嘉平三年	三國志魏書后妃傳頁 163
景初末	散騎侍郎	毛曾	羽林虎賁中郎將、原武典農		三國志魏書后妃傳頁 167
景初末	尙書	孫禮（大將軍長史加散騎常侍）	揚州刺史		三國志魏書孫禮傳頁 691
		郭敞			
		王忠			
明帝時	騎都尉	劉劭	卒	正始中	三國志魏書劉劭傳頁 617

明帝時	中護軍	蔣濟 （護軍將軍加）	領軍將軍	齊王即位	三國志魏書蔣濟傳頁 452
正始初	度支郎中	丁謐	尙書		三國志魏書曹爽傳頁 289
正始初	羽林監	夏侯玄	中護軍		三國志魏書夏侯玄傳頁 295
正始初		何晏	侍中尙書		三國志魏書何晏傳頁 292
正始初		司馬駿			
正始中	黃門侍郎	荀顗			
正始中	黃門侍郎	鍾毓	侍中		三國志魏書鍾毓傳頁 400
正始中	洛陽典農中郎將	司馬昭	征蜀將軍		晉書文帝紀頁 32
正始中	大將軍從事中郎	鄭袤	廣平太守		晉書鄭袤傳頁 1249
正始中	虎賁中郎將	郭芝	長水校尉		三國志魏書后妃傳頁 168
正始八年		孔乂			三國志魏書三少帝紀頁 123
正始年間		望			
嘉平元年		曹彥			三國志魏書齊王芳紀頁 123
嘉平初		司馬望			

嘉平中		孟康			三國志魏書杜恕傳頁 506[51]
嘉平中	大將軍曹爽從事中郎	鄭沖	光祿勳		晉書鄭沖傳頁 991
嘉平六年		荀廙			
嘉平六年		司馬□			
嘉平六年		瓌			三國志魏書齊王芳紀傳頁 129
嘉平七年	河南尹	王肅（中領軍加散騎常侍）	薨	甘露元年	三國志魏書王肅傳頁 418
正元初	祕書監	王沈	侍中		晉書王沈傳頁 1143
正元初		司馬攸			
正元元年	大司馬從事中郎	阮籍	東平相		晉書阮籍傳頁 1359
甘露四年	安東及衛將軍司馬	裴秀	尚書		晉書裴秀傳頁 1037
甘露四年		王業			
甘露中		司馬亮			

[51] 未見曾任散騎常侍。

甘露中	奉車都尉	司馬炎（中壘將軍加散騎常侍）	中護軍		晉書武帝紀頁49
	中書郎	衛瓘	侍中	景元元年	晉書衛瓘傳頁1055
景元二年	給事黃門侍郎	何曾	河內太守		晉書何曾傳頁994
景元中	廷尉	賈充（中護軍加散騎常侍）	晉國衛將軍		晉書賈充傳頁1165
景元中	散騎黃門侍郎	王渾	越騎校尉	咸熙中	晉書王渾傳頁1201
咸熙元年		徐紹			
咸熙元年	蜀漢官員投降	樊建（相國參軍兼散騎常侍）			三國志蜀書董厥傳頁933
咸熙元年	蜀漢官員投降	董厥（相國參軍兼散騎常侍）			三國志蜀書董厥傳頁933
咸熙元年		孫彧			
		司馬□			
		吳奮			
		劉毅			
	淮北都督伏波將軍	盧欽	大司農		晉書盧欽傳頁1254

		欒元			
		樂方			
		徐超			
		寇閱			

附表三十三：黃門侍郎任遷一覽表

入遷		黃門侍郎	出遷		
時間	途徑	姓名	途徑	時間	備註
建安中	初辟於公府	丁廙（博學洽聞）			三國志魏書王粲傳頁 562
建安十八年	五官將文學	夏侯尚	參軍事		三國志魏書夏侯尚傳頁 293
建安十八年	五官將文學	劉廙	丞相倉曹屬		三國志魏書劉廙傳頁 613
建安中		王毖			
建安初	孝廉	董遇（質納好學）	郡守	黃初中	三國志魏書王朗傳頁 420
建安廿二年	中庶子	鮑勛	魏郡西部都尉		三國志魏書鮑勛傳頁 383
建安中		曹純（好學問）			三國志魏書曹仁傳頁 277
建安十三年	文學掾	司馬懿（伏膺儒教）	議郎		晉書宣帝紀頁 2
建安十八年	吏部郎	盧毓（以學行見稱）	濟陰相、梁譙二郡太守		三國志魏書盧毓傳頁 650
黃初初	太子洗馬	顏斐（有才學）	京兆太守		三國志魏書倉慈傳頁 513

黃初初	中書郎、給事常侍	司馬孚（博涉經史）	河內典農		晉書安平獻王孚傳頁 1081
黃初初	尚書郎	任嘏（綜覽五經）	東郡、趙郡、河東太宏		三國志魏書王昶傳頁 748
黃初中		王肅（讀太玄）	散騎常侍	太和三年	三國志魏書王肅傳頁 414
黃初中		劉靖	廬江太守	黃初中	三國志魏書傳頁 464
黃初中		韓遜			
明帝即位	長史	畢軌	并州刺史		三國志魏書曹爽傳頁 289
太和初		鍾毓	散騎常侍、侍中、魏郡太守	正始中	三國志魏書鍾毓傳頁 399
太和中	散騎侍郎	杜恕	弘農太守		三國志魏書杜恕傳頁 498
太和中	文學	李豐	騎都尉、給事中		三國志魏書夏侯玄傳頁 301
太和中		夏侯玄	左遷羽林左監		三國志魏書王粲傳頁 295
太和末	汲郡典農中郎將	何曾（好學博聞）	散局常侍		晉書何曾傳頁 994
		夏侯惠（散騎黃門侍郎）	燕相、樂安太守		三國志魏書夏侯淵傳頁 273

	太子文學掾	荀閎			三國志魏書荀彧傳頁 316
		袁侃（黃門選部郎）	尚書		三國志魏書袁渙傳頁 335
		臧艾（以才理稱）	歷位郡守		三國志魏書臧霸傳頁 538
正始初	尚書郎	傅嘏	免官		三國志魏書傅嘏傳頁 622
正始中	大將軍曹爽掾	裴秀（弘通博濟）	故吏免		晉書裴秀傳頁 1037
正始中		王黎			
	大將軍曹爽掾	王沈（善屬文）	故吏免		晉書王沈傳頁 1143
		朱整			
	尚書郎	賈充	汲郡典農中郎將		晉書賈充傳頁 1165
		龐德公			三國志蜀書龐統傳頁 953[52]
		傅充			三國志魏書傅嘏傳頁 622
嘉平初		王沈			晉書王沈傳頁 1143[53]

---

52 疑其名應爲山民。
53 未見有再任的記載。

嘉平中		程曉	汝南太守		三國志魏書程曉傳頁 430
正元中	中書侍郎	鍾會（有才藝）	以中郎在大將軍府管記室		三國志魏書鍾會傳頁 784
正元中	中書侍郎、給事中	羊祜（博學能屬文）	祕書監		晉書羊祜傳頁 1013
		孫彧			
咸熙中		司馬珪			
咸熙中		司馬晃			
	都官從事	向雄	秦州刺史	泰始中	晉書向雄傳頁 1335
	參文帝安東軍事	王渾	散騎常侍		晉書王渾傳頁 1201
		華表			

附表三十四：散騎侍郎任遷一覽表

入遷		散騎侍郎	出遷		
時間	途徑	姓名	途徑	時間	備註
建安末		鄧靜			
建安末		尹商			
黃初元年	中庶子	王昶	洛陽典農兗州刺史		三國志魏書王昶傳頁 743
黃初元年		王象	散騎常侍		三國志魏書楊俊傳頁 664
黃初中		鍾毓	黃門侍郎	太和初	三國志魏書鍾毓傳頁 399
黃初中		王肅（散騎黃門侍郎）	散騎常侍	太和三年	三國志魏書王肅傳頁 414
黃初中		孟康	弘農		三國志杜恕傳頁 506
文帝時		桓纂			
		桓範			三國志魏書曹爽傳頁 290[54]
太和初		曹爽	城門校尉加散騎常侍		三國志魏書曹爽傳頁 282

[54] 本傳中未見爲散騎之記載。

太和初	文學	何曾	汲郡典農中郎將		晉書何曾傳頁 994
太和初		王嘉			
太和初	騎馬都尉	毛曾	散騎常侍	景初元年	三國志魏書后妃傳頁 168
太和初		夏侯惠			
太和初	尚書郎	劉劭	陳留太守	明帝即位	三國志魏書劉劭傳頁 617
太和初		杜恕	黃門侍郎		三國志魏書傳頁 498
太和初		夏侯玄（散騎黃門侍郎）	散騎常侍		三國志魏書夏侯玄傳頁 295
青龍中		陳泰	游擊將軍	正始中	三國志魏書陳泰傳頁 638
正始中		何晏	侍中尚書		三國志魏書曹爽傳頁 292
正始中	中郎	荀顗	侍中		晉書荀顗傳頁 1150
		華表（散騎黃門侍郎）	侍中		晉書華表傳頁 1260
	參文帝安東軍事	王渾（散騎黃門侍郎）	越騎校尉	咸熙中	晉書王渾傳頁 1201

		司馬亮			

第六章 從州籍資料看曹魏政權

第一節 州籍分析之相關問題

政治制度的運作，可能牽涉到政治派系的問題，而派系的劃分原則，有根據地域、有根據社會階層、甚至根據學術流派劃分，這種情況有否發生在曹魏政權之中？本章所要探討的就是這部份的問題。

這部份討論的主要資料來源，是在附錄中的曹魏中央政務機關任職官員一覽表，表中所列舉之人物主要是根據洪飴孫《三國職官表》[1]，其中人物的州籍資料則以相關史料考証後加入，全部資料的出處均列明在備註欄內；同時這中間也有一些基本問題要先處理，如州籍的問題，牽涉到地方行政區域的劃分，不同的時代可能基於某種原因，使地方行政區域有所變動，變動的內容有可能是名字的更易、也有可能包括轄區的更動，不管如何，站在研究的立場，都對我們都造成一些影響。

---

[1] 洪飴孫，《三國職官表》，收錄在《二十五史補編》（北京：中華書局，1986），頁 2731-2819。

以下要研究的曹魏時期也發生類似的情形，《三國志》＜魏書文帝紀＞載黃初元年「以穎陰之繁陽亭為繁昌縣……郡國縣邑多所改易。」又在黃初二年「改許縣為許昌縣，以魏郡東部為陽平郡，西部為廣平郡」等[2]，可見曹魏時期就地名或區域的劃分，確實有一些更動，這樣就形成研究上的困難。

其實更動並不必然造成研究上的困難，如果資料有所保存，讓我們看到更動的過程及內容，也能按圖索驥，了解發展的過程；問題是曹魏時期關於這方面的資料留下不多，諸如《三國志》中就沒有如《後漢書》＜郡國志＞或《晉書》＜地理志＞般記載地方行政資料，尤有甚者《三國志》的記載內容更引領出諸如前述的問題出現，如《三國志》＜魏書蔣濟傳＞載蔣濟爲楚國平阿人[3]，《續郡國志》無楚國的記載，至於平阿則屬揚州九江郡[4]，另外《晉書》＜地理志＞也沒有楚國，平阿則屬揚州淮南郡，淮南郡即九江郡，晉武帝時改名[5]，所以若以《三國志》所載爲準，

---

[2] 《三國志》，卷 2＜魏書・ 69 年），頁 76-77。

[3] 《三國志》，卷 14＜魏書・ 450。

[4] 《後漢書》，志 22＜郡國四＞（台北：鼎文書局，1981），頁 1657。

[5] 《晉書》，卷 15＜地理下＞，（台北，鼎文書局，民 72 年），頁 460。

則會發現在統計上的困難，因爲不知此地方如何歸屬；爲研究方便起見，本書參照洪飴孫《三國職官表》所列曹魏時期的十三州及其所統轄的郡爲基礎[6]，再參考《後漢書》＜郡國志＞及《晉書》＜地理志＞等資料以爲州籍歸類的依據，本此則蔣濟之情形，在此處把他劃歸揚州作爲統計資料，因爲東漢及西晉均無楚國，而平阿在東漢及西晉均屬揚州，所以作此選擇及決定[7]。這是第一個要說明的部份。

其次即對人物的統計，此處主要以時間爲脈絡，以探究曹魏一朝的州籍對官員任用之影響，爲求對整個時段及各皇帝時期看出發展的趨勢，因爲此處採用一個總表以觀看曹魏整時段的政務官員之州籍分佈情形（參附表三十五曹魏一朝政務官員州籍分佈表），同時爲求了解各時期的差別，也分別製作另五個時期的統計表，分別爲建安十八年至廿四年魏國官員州籍分析表（附表三十六：建安十八年至廿四年魏國官員州籍分析表）、文帝時期政務官員州籍分析表（附表三十七：文帝時期政務官員州籍分析表）、明帝

[6] 洪飴孫，＜三國職官表＞，頁 2815 或參考附錄二：曹魏十三州及所屬郡一覽表。

[7] 各地方之取捨標準，可參閱附錄一＜曹魏中央政務機關任職官員一覽表＞。

時期政務官員州籍分析表（附表三十八：明帝時期政務官員州籍分析表）、正始年間政務官員州籍分析表（附表三十九：正始年間政務官員州籍分析表）及嘉平至魏末政務官員州籍分析表（附表四十：嘉平至魏末政務官員州籍分析表），前兩表是以皇帝爲劃分標準，後兩個則因皇帝在此時影響力不大，其時重心在曹爽及司馬懿，因此在考慮曹爽與司馬懿的問題而作此劃分；另外在官員的統計上，難免會有跨時段的情形出現，即同一人在文帝及明帝皆任同一職位，或者任不同職位，該如何計算？此處對這兩種情形採取分時段獨立計算的方式，即不同時段各自爲一統計對象，至於同時段一人卻不同的職位，則以一人計算。

最後還考慮到曹魏一朝的政治派系中，有所謂的汝穎及譙沛的分別，所以在此處對這兩地特別分出加以觀察。萬繩楠在＜曹魏政治派別的分野及其升降＞[8]一文中對汝穎及譙沛集團是用雙重原則去劃分派系，既以地域觀點，也用社會階層，此處則採單一標準之地域作劃分，即只從州籍去劃分派系，其它方面則暫不列入考慮。

---

[8] 萬繩楠，＜曹魏政治派別的分野及其升降＞，《歷史教學》，1964：1（1964.1），頁 2-11。

第二節　曹魏一朝各時段任官之州籍問題分析

萬繩楠在＜曹魏政治派別的分野及其升降＞一文強調從曹操開始曹魏政權的兩大支柱，一爲譙沛集團，一爲穎泗集團[9]；另外毛漢光在＜三國政權的社會基礎＞一文也持相同的看法[10]；然而透過對司空掾屬的組成分子之分析（參附表三：建安元年至十三年司空掾屬一覽表），在建安十三年前並沒有出現這樣的派別情形，因爲我們在找到的司空掾屬 39 人中，屬此二集團者只有 7 人，如果我們改以州作爲計算單位[11]，則其中穎沛所在地豫州也只有 8 人，反觀兗州卻佔 10 人爲最多，這裡值得注意者有二：一爲萬氏毛氏認曹魏政權的兩大支柱，在此時似乎並未明確建立，只能說有此一趨勢；二爲兗州人士最多，應與曹操曾爲兗州牧有關[12]，而且其時兗州對曹操有重要義意，如《三國志》

---

[9] 萬繩楠，＜曹魏政治派別的分野及其升降＞，頁 2-11。

[10] 毛漢光，＜三國政權的社會基礎＞，收錄在《中國中古社會史》，（臺北：聯經，1988,2）。

[11] 以州爲計算單位，三國時期屢見，如《三國志》，卷 14＜魏書．郭嘉傳＞注引傅子曰：「河北既平，太祖多辟召青、冀、幽、并知名之士，漸臣使之，以省事掾屬。皆嘉之謀也。」頁 434。

[12] 《三國志》，卷 1＜魏書．武帝紀＞載：「（興平二年）冬十月，天子拜太祖兗州牧。」同卷記早在初平三年，已由萬潛等迎曹操領兗州牧，頁 12。

＜魏書荀彧傳＞載「將軍本以兗州首事……」[13]，又如袁宏的《後漢紀》＜獻帝紀＞記載荀彧以曹操定兗州比擬劉邦、劉秀當年經營根據地[14]，所以在這種情形下，我們相信曹操是在擔任司空後，招納一批兗州才識之士以爲己用，以建立其領導班底。

另外同書＜獻帝紀＞又記荀彧以迎漢獻帝可產生號召天下的作用[15]，號召的目的即招納才識之士以爲己用，不過在這號召的過程中，曹操似有意無意間把才識之士劃一界線，我們試看太祖對荀彧及鍾繇稱讚荀攸「『公達，非常人也，吾得與之計事，天下當何憂哉！』以為軍師。」[16]另外在《三國志》＜郭嘉傳＞載曹操對郭嘉的看法時「太祖曰：『使孤成大業者，必此人也。』……表為司空軍祭酒」[17]，曹操這裡所說的「天下、大業」，可見曹操心中是有對前途的一個遠景，不過這個遠景是屬於他個人的或是漢朝的？則不無疑問。因爲這些才志之士都在司空的掾屬中任

---

[13] 《三國志》，卷 10＜魏書．荀彧傳＞，頁 309。

[14] 袁宏《後漢紀》，卷 28＜獻帝紀＞（大陸，天津古籍出版社，1987年），頁 784-785

[15] 同前註，卷 29＜獻帝紀＞，頁 800。

[16] 《三國志》，卷 10＜魏書．荀彧傳＞，頁 322。

[17] 《三國志》，卷 14＜魏書．郭嘉傳＞，頁 431。

職，並非在許昌之漢廷。

如果我們對此作較詳細的對比，會發現一個值得關注的地方，譬如同樣對曹操政權有重大貢獻的荀彧，曹操也很重視他的才能，甚至稱他爲「吾之子房也」[18]，然荀彧卻被安排在漢廷任職侍中守尙書令，最後雖然也改任參丞相軍事，實爲荀彧因反對曹操篡漢，曹操將其調職以安排殺害之計劃，這些人的差別遭遇，原因爲何？荀彧之被殺，可說是因爲他一心扶漢，對曹操篡漢採取相反的立場所致[19]，至於荀攸、郭嘉則是站在曹操的一邊，不斷地推進著曹操的大業，最後擁立曹操爲魏公及助曹丕篡漢者即這些曾在司空及丞相掾屬任職者，因此是否因爲這樣就造成曹操在安排這些人的職位上有所不同？順此方向去探討，我們更可以發現司空掾屬確實成爲日後曹操領導的重要核心團體（參附表七：建安十八年至廿四年任職魏國公卿一覽表）。從這裡我們可回顧前面所引萬繩楠的看法，萬氏認曹操任用汝潁人氏而對其他地域的人則抱持不信任的態度，其實曹操對才志之士似乎只求能成其大業者則用之，對地

[18] 《三國志》，卷 10<魏書．荀彧傳>，頁 308。
[19] 同前註，頁 317。

域觀念可能並沒有如斯之強，如兗州涼茂、徐州徐奕及青州華歆等也一直爲曹操所重用，其間尙未看到如萬氏及毛氏所說的情形。

至於曹操爲丞相後，隨著曹操在北方勢力的擴張，其領導班底越發擴大，其權力結構益爲複雜；擔任丞相正可代表曹操權力結構之重組及其基礎之擴張，其中有幾點值得我們注意；第一，這個領導班子跟司空時期很大的不同處，在於它的構成份子，實已含蓋當時曹操在北方各州人士在內，即其權力重組或擴張時，已把所掌握的各州之人士都安排在其權力結構中，目的會不會是謀求某種程度的權力平衡(參附表四十一:丞相曹操之掾屬州籍一覽表)?第二，在丞相時期進用之人士屬士族者頗多；第三最可注意者則爲在人數上的比例，全部有 79 人，兗州人數則爲 16 人佔 20.25% ，及司隸州豫州的人數相等，同爲 15 人佔 18.98% ，但我們若扣除曾在司空時期任掾屬者 57 人，則兗州新任者爲 9 人佔 15.78% 、豫州爲 10 人佔 17.54% ，其中司隸州增加最多爲 14 人佔 24.56% ，在這新增的 14 人中，士族佔 9 人，佔 14 人中的 64.28% ，小姓 2 人，單家 2

人[20]各佔 14.28% ，一人不詳；這部份也有值得我們注意的地方，第一兗州人數仍爲最多 16 人，第二前引萬繩楠及毛漢光二先生對曹操時期的政治派系都強調汝穎及淮泗集團，此兩集團都屬豫州，從這裡可以看出曹操在建安十三年爲丞相時，司隸人士（特別是士族）是曹操擴大其政權之基礎的重要原素，非只有豫州，其中以士族爲延攬對象，是否意味著曹操對士族勢力的妥協？而建安十五年的求賢詔，與這樣的安排又是否有某種程度的因果關係？不管如何，可以見到的是曹操在丞相掾屬中所努力者即爲擴大及健全其領導核心，範圍包括其所佔各州才志之士。

最後前述萬氏及毛氏所強調的政治派系，似乎是在建安十八年魏國成立後，便成爲曹操政權的重要支柱，因爲跟據資料顯示，魏國公卿中屬豫州人士佔多數，佔全部魏國公卿 36 人中的 11 人，爲 30.55% 接近三分之一（參附表三十六：建安十八年至廿四年魏國官員州籍分析表），其中汝穎在人數上比譙沛多，這樣的結果並不能証明汝穎集團勢力要比譙沛集團大，而是因爲譙沛集團中武將爲多，此

---

[20] 此處對士族、小姓、單家的劃分標準是根據前引毛漢光＜三國政權之社會基礎＞一文，頁 123。

處所統計的是政務官員。

至於魏文帝曹丕，這裡把時間定在延康元年至黃初七年，統計後得到的資料如下，全部政務機關官員共 77 人，有 6 人的州籍不明，前面第一章討論到曹魏的時間斷限時，曾提出建安年間納入曹魏時期計算的原因在於曹丕及往後的政權，基礎實源自建安年間，此處也可得到一個數據上的支持，在 71 人中，曾任職建安年間的丞相掾屬及魏國公卿者有 36 人，扣除曾任職二處的重複部份，尚有 31 人，即 71 人中有 31 人來自丞相掾屬及魏國公卿，佔 43.66 %，這樣的比例不能算不大，足以証明曹操時期對曹丕及其後之曹魏政權建立的影響。另一方面曹丕在執政前後八年中共任用 40 人，佔 56.33%。

文帝一朝各州人才的比例在 71 人中以豫州 19 人最多，佔 26.76%，其次則爲司州及兗州各 8 人，分別佔 11.26 %，第三則爲徐州及冀州各 6 人，各佔 8.45%，因爲豫州人在百分比上高出第二名兗州及司州有一倍以上，可見豫州人在當時的影響力。

豫州人數最多，則汝穎及譙沛兩集團又如何？19 人中屬於汝穎者 8 人，佔 42.10% ，譙沛者 10 人，佔 52.63% ，孔乂是魯國人，在地域上不屬此二集團，不予計算，譙沛在人數上稍多，以百分比算則多出約 10 個百分點。

若扣除曾任職魏國的官員，則曹丕一朝之任官州籍比例爲何？前面說曹丕時期新任官員有 40 人，這當中豫州人有 11 人，佔 27.5% ，兗州及司州則各在 40 人中有 4 人，佔 10.00% 。

以上是文帝時期的情形，如果我們以此與建安年間相較，建安年間魏國公卿 36 人中，豫州人有 11 人，佔 30.55% ，則相對於曹丕時期豫州人的比例是 26.76 或曹丕新任之豫州人 27.5，其實曹丕時期均有減少的情形，是否就如前述萬氏所說因曹丕對譙沛集團的態度所引致？然而比較其他諸州人士的任用情形，又無法同意這個說法，因爲同時期的司州，在建安年間 36 人中有 7 人，比例是 19.44% ，相較曹丕時 11.26% 也有減少，兗州在建安年間 36 人中有 6 人，佔 16.66% ，與曹丕時期的 11.26% 同樣減少，可見豫州的減少不是特例，可能是整體任用的情況有變。

至於汝穎及譙沛，相較建安年間，譙沛集團則有明顯的變化，因爲在建安年間豫州 11 人中，屬汝穎者有 5 人，佔 45.45% 與曹丕時期的 42.10% 比較，後者多了 3.35 個百分點；譙沛有 3 人，佔 27.27% ，相較曹丕時期 52.63% 而言，曹丕時期是多 25.36 個百分點；所以汝穎及譙沛二集團實有增加的情形，其中譙沛的增加接近一倍。而且 18 人中大多在曹操時期即爲曹魏政權的支柱，汝穎 8 人中有鍾繇、陳群、辛毗、趙儼、應璩及杜襲等 6 人即曾任丞相掾屬及魏國公卿，佔 33.33% ；譙沛中則多爲與曹操打天下之武將，如曹仁、曹休、曹真、曹洪及夏侯惇 5 人，佔 27.77 % 。至於文帝時才任職者，汝穎有 2 人，佔 18 人中的 11.11 % ，譙沛則有 5 人（曹仁、曹真及夏侯惇雖非魏國公卿，實爲魏國將軍隨曹操打仗，故此處也把他們歸入魏國官員計算，不列入新任之行列中），佔 18 人中 27.77% 。再就職位上看，邯鄲淳爲博士給事中、鍾毓爲散騎侍郎，桓範、曹爽也爲散騎侍郎，夏侯楙及夏侯湛[21]則分別爲侍中及散騎常侍，同屬備顧問一類的職官，似乎沒有太大的差別，萬繩楠在《魏晉南北朝史論稿》一書中認爲「從曹丕稱帝

[21] 夏侯湛任散騎常侍的時間有值得懷疑的地方，參看附錄<曹魏時期任職政務機關官員一覽表>。

時起，以汝穎集團為代表的舊的世族地主權力在上升中，以譙沛集團為代表的新官僚權力則在不斷的下降中。」[22]起碼就地域的人事任用上似乎看不出有這樣的結果。

明帝時期，全部政務機關官員有 98 人，其中 12 人不明州籍，尚餘 86 人，86 人中曾在文帝時期任職者有 40 人，佔 46.51% ，有 46 人爲明帝時新任，佔 53.48% ，略較文帝時低。

豫州人在 86 人中有 27 人，佔 31.39% ，較文帝時的 26.76% 增加 4.63 個百分點，其次是兗州，86 人中有 12 人，佔 13.95% ，第三位是冀州，86 人中有 11 人，佔 12.79% ，第四位是司州，86 人中有 10 人，佔 11.62% 。

若扣除文帝時已曾任職者 40 人，則 46 人中豫州有 13 人，佔 28.26% ，兗州扣除文帝已任職者，新任者有 46 人中的 7 人，佔 15.21% ；冀州新任者 46 人有 7 人，佔 15.21 % ，跟兗州一樣，司州新任者 46 人中 6 人，佔 13.04% 。

---

[22] 萬繩楠，《魏晉南北朝史論稿》(臺北：雲龍出版社，1994)，頁 97。另外萬氏在＜曹魏政治派別的分野及其升降＞也闡述此一看法，《歷史教學》，頁 2-11。

豫州人數仍然最多。

至於汝穎及譙沛的比例，汝穎在 27 人中有 15 人，佔 55.55% ，譙沛則有 10 人，佔 37.03% ，跟文帝時汝穎只有 42.10% 相比是增加 13.45% 個百分點，譙沛則較文帝時的 52.63% 相比是減少 15.6% 個百分點，所以譙沛在人數及比例上是有減少的趨勢，再進一步若扣去除文帝時豫州人已任職者有 14 人，新任職者 13 人，汝穎在明帝時新任爲 7 人，佔 53.84% ，譙沛新任職只有 4 人，佔 30.76% ，譙沛較汝穎在比例上減少 23.07% ，則前述萬繩楠所說譙沛勢力有下降的趨勢似乎在明帝時候出現，只是原因爲何？是因譙沛整體勢力減弱或因譙沛多屬開國元勳，至此多年老謝世，如曹休於太和二年卒、曹真卒於太和四年及曹洪於太和六年薨；又或者他們多仍爲武將，故在此政務機關中找不到他們的資料[23]。

第四時段是正始年間，此時全部政務官員找到的有 57 人，其中 8 人不明州籍，只有 49 人可供研究，49 人中在

---

[23] 《三國志》，卷 9＜魏書·曹爽傳＞載爽專政後，「爽弟羲爲中領軍，訓武衛將軍」，頁 322。

明帝時已任職者有 30 人，佔 61.22% ，新任者有 19 人，佔 38.77% ，文帝及明帝時新任之官員在比例上分別是 56.33 % 及 51.76% ，均超過半數以上，正始年間何以新入職者的比例減少至低於 50.00% 以下，這是值得注意的問題。正始年間如果是曹爽專政，何以不大量起用其黨羽？是否如前面所提到，曹爽真正專權的時間不長，以致還未來及大量起用其黨羽，即告失敗？

49 人中豫州有 11 人，佔 22.44% ，相較文帝時 26.76 % 及明帝時 30.58% 有下降的趨勢；司州人在 49 人中有 8 人居第二位，佔 16.32% ，跟文帝時司州人數的比例是 11.26 % 及明帝的 11.76% 相比，有上升的趨勢，這有值得注意的地方，是代表司馬家族已開始安排人事佈局嗎？第三位是兗州，49 人中有 6 人，佔 12.24% ，跟文帝時 11.26% 及明帝時 14.12% 相比，尚算穩定。兗州似乎是前面四個時期中最穩定的一個州籍。

若扣除明帝時已任職者來計算，則新任者 19 人中司州有 5 人最多，佔 26.31% ，豫州有 4 人，佔 21.05% 。這很明顯讓人看得出司馬家勢力增長的情形。

至於汝穎及譙沛的問題，豫州 11 人中有 7 人爲汝穎集團，佔 63.63% ，譙沛只有 3 人，佔 27.27% ，相差 36.35% ，不可謂不大。若扣除明帝時已任職者，則豫州有 4 人新任職，汝穎有 2 人，佔 50.00% ，譙沛則只有 1 人，佔 25.00% ，相差一倍。似乎譙沛的勢力在減弱，是否與軍權改變有關。

最後是嘉平至魏末時期，全部可供研究的有 104 人(另外尙有 29 人不明州籍)，其中豫州在 104 人中有 17 人，佔 16.34% ，最可注意者爲司州，因爲增加很多，104 人中有 21 人佔 20.19% ，第三名是兗州，104 人中有 15 人佔 14.42% 。

扣除正始年間已任職者，則嘉平至魏末新任職者有 77 人，佔全部 104 人中的 74.03% ，超過從前任何一個時期，另外 77 人中屬豫州者有 11 人，佔 14.28% ，司州在 77 人中有 15 人，佔 19.48% ，兗州第三名有 12 人，佔 15.58% 。司州佔最多。

另外 104 人中曾在司馬氏任太傅、相國等爲其掾屬則有 19 人，佔 18.26% ，而這 19 人中屬於新任職者在 77 人有 16 人，佔 20.77% 。即在新入職者中，曾爲司馬氏掾屬者約有 5 分之 1，這是很值得注意的地方。

最後，尚有一點值得注意者，厥爲司馬氏等任用之掾屬州籍資料（參附表四十二：司馬氏掾屬州籍統計表），在曹魏十三州中，除去最小的揚州及秦州沒有掾屬人員外，其餘州籍都有被任爲掾屬，且人數尙屬平均，這與曹操建安十三年後任用丞相掾屬的情形也有相似，是否也在建立一個屬於全國的政治團體，權力能有一定程度的均衡，這是值得我們深思的。

第三節　整時段之綜合分析

在找到的曹魏一朝政務官員，總數有 209 人，綜合此一州籍資料的統計，我們可以發現豫州的人數確實要較其他各州爲多，209 人中有 46 人，佔 22.00% ，其次爲司州，有 34 人佔 16.26% ，第三爲兗州有 33 人佔 15.78% 其餘都在 9% 以下。

豫州 46 人中，屬於汝穎及譙沛者有 39 人，縱然跟全國各州比較，還是人數最多的一群，佔總人數的 18.66% ，可見作爲曹魏政權重要支柱的兩大政治派系在當時的影響力。汝穎及譙沛兩大派系，在人數上很接近，分別爲 19 人及 20 人，比率則爲 9.09% 及 9.56% ，所以這兩派勢力在整體的情況看來，他們在曹魏一朝應該說是在一種平衡的發展狀態下發展。

然而如果我們以此與東漢與西晉兩時段作一比較，我們會發現豫州在全國人才的分佈上，不止曹魏時期，甚至東漢及西晉仍有一定的重要性，楊遠在其《西漢至北宋中國經濟文化之向南發展》一書中，統計東漢及西晉的全國人才分佈情形，發現東漢時全國人才分佈的前五名郡國是：南陽、扶風、汝南、穎川、陳留，其中汝穎即屬豫州；另外西晉時的前五名是：穎川、梁國、譙郡、琅邪及太原，其中穎川、譙郡及梁國屬豫州[24]，可見豫州在當時可謂人才鼎盛，不單是因爲曹魏一朝的特殊情形。

其次，前面的分時段的分析中，我們發現正始年間似乎是一些數字改變的重要時期，因此這裡試把曹魏政權分爲前後二階段，也會發現值得注意的地方，首先在人數上除去重複的部份，得出如下表之情形：

[24] 楊遠，《西漢至北宋中國經濟文化之向南發展》（臺北：臺灣商務，1991.3），頁 335-371。

時間 州	文帝明帝時期				正始至魏末時期			
	文帝時	明帝時	總數	百分比	正始間	嘉平後	總數	百分比
總人數	71 人	46 人	117	100%	19 人	77 人	96 人	100%
豫州	19	13	32	27.35%	4	11	15	15.62%
司州	8	6	14	11.96%	5	15	20	20.83%
兗州	8	7	15	12.82%	1	10	11	14.58%
徐州	6	1	7	5.98%	0	6	6	6.25%
雍州	4	5	9	7.69%	2	6	8	8.33%
冀州	6	7	13	11.11%	1	8	9	9.37%
并州	4	0	4	3.41%	2	4	6	6.25%
幽州	4	1	5	4.27%	1	3	4	4.16%
揚州	4	2	6	5.12%	1	2	3	3.12%
涼州	2	0	2	1.70%	1	1	2	2.08%
荊州	3	3	6	5.12%	2	5	7	7.29%

這圖表可以讓我們看到前後兩時段，各州人數增減的情形，最可注意是豫州前後期相較減少 11.73 個百份點；反觀司州，卻剛好增加接近 9 個百分點，此消彼長，是否剛好代表曹氏與司馬氏權力轉移的徵象？

附表三十五：曹魏一朝政務官員州籍分佈表

豫州			司州	徐州	雍州	冀州	兗州	并州	青州	幽州	揚州	涼州	荊州	益州
汝穎	譙沛	其他												
鍾繇	夏侯	袁渙	耿紀	王朗	蘇則	華歆	涼茂	溫恢	國淵	徐邈	劉曄	賈詡	桓階	黃權
和洽	尚	袁霸	楊俊	徐奕	傅巽	[25]	程昱	王淩	任嘏	盧欽	蔣濟	郭芝	劉廙	
何夔	丁廙	孔乂	李義	陳矯	杜畿	崔琰	毛玠	王昶	孫邕	張華	胡質	周生	韓暨	
荀攸	曹純	何曾	常林	徐宣	嚴苞	邢顒	高柔	孫資	王基	閻柔	何楨	烈	鄧艾	
陳群	曹仁	袁侃	衛覬	卞蘭	韋誕	劉劭	王粲	王沈	劉毅	盧毓	劉陶	薛夏	鄧颺	
杜襲	曹休	袁亮	司馬	王肅	馬鈞	孟康	鮑勛	郭淮	任愷	鮮于			何晏	
辛毗	曹真	唐彬	懿	諸葛	李豐	崔林	董昭	王渾	王脩	輔			龐德	
趙儼	夏侯		董遇	誕	杜恕	韓宣	衛臻	王廣	鄭小	劉放			公	
應璩	惇		楊彪	繆襲	張緝	甄暢	吳質	王默	同	孫禮			樊建	
邯鄲	曹洪		裴潛	王祥	傅嘏	許允	蘇林						董厥	
淳	夏侯		王象	卞隆	傅充	甄像	顏斐						樂廣	
鍾毓	楙		荀緯	王恂	魯芝	華表	王觀						鄒湛	
陳泰	夏侯		司馬	繆施	杜預	崔贊	滿寵						桓階	
庾峻	湛		孚	陳騫	傅玄	王經	高堂						龐德	
鍾會	劉靖		毛嘉		張既	石苞	隆						公	
荀顗	桓範		司馬		蘇愉	劉寔	臧艾						劉先	
和逌	曹爽		師			石鑒	薛悌							
周浚	曹肇		毛曾			王黎	王思							
荀勖	燕王		毌丘			華嶠	魏衡							
荀闓	宇		儉				王業							

[25] 華歆屬青州或冀州牽涉後漢書及三國職官表對州郡劃分的問題，這裡把他歸入冀州。

	丁謐 夏侯玄 武周 夏侯和 曹彥		裴秀 賈充 司馬昭 司馬炎 司馬望 衛瓘 向雄 司馬駿 司馬望 司馬攸 司馬亮 司馬珪 司馬晃 鄭沖 鄭袤 裴楷				畢軌 王弼 阮籍 范粲 虞松 羊祜 魏舒 王宏 路粹 程曉 魏衡 阮諶 羊瑾 蔡睦							

			裴徽 鄭默											
19人	20人	7人												
46人			34人	13人	16人	18人	33人	9人	8人	8人	5人	4人	14人	1人

全部人數共 209 人

各州人數的比率：

豫州 22.00%　司州 16.26%　兗州 15.78%　冀州 8.61%

雍州 7.65%　徐州 6.22%　荆州 6.69%　并州 4.30%

青州 3.82%　幽州 3.82%　揚州 2.39%　涼州 1.91%

益州 0.47%

另外不明州籍者 63 有：

張太、謝奐、萬濳、邢貞、王毖、鄧靜、尹商、楊秋、鄭稱、孟達、董巴、韓遜、桓篡、鄭德、鍾統、望、朱整、桓纂、黃休、郭彝、秦朗、郭謀、李韜、甄歆、陶成嗣、王嘉、趙咨、廉昭、楊偉、刁幹、孫炎、孫壹、王夔、趙酆、荀廙、司馬□、鄭□、□儀、徐紹、孫彧、吳奮、麋元、樂方、徐超、寇閱、壞、楊綜、李允、徐劭、高延、劉基、高達、荀訥、何貞、朱整、劉階、甄備、王伯興、楊文宗、孫該、秦靜、裴演、司馬。

附表三十六：建安十八年至廿四年魏國官員州籍分析表

豫州			司州	徐州	雍州	冀州	兗州	并州	青州	幽州	揚州	涼州	荊州	秦州	梁州	益州
汝穎	譙沛	其他														
鍾繇 陳群 杜襲 和洽 荀攸	夏侯 尙 丁廙 曹純	袁渙 袁霸 何夔	耿紀 楊俊 李義 常林 衛覬 司馬 懿 董遇	王朗 陳矯 徐奕	張既	崔琰	涼茂 程昱 毛玠 高柔 王粲 鮑勛		華歆 王脩 國淵	徐邈 盧毓			劉廙 桓階 劉先			

附表三十七：文帝時政務官員州籍分析表

豫州			司州	徐州	雍州	冀州	兗州	并州	青州	幽州	揚州	涼州	荊州	秦州	梁州	益州
汝潁	譙沛	其他														
鍾	曹仁	孔艾	楊彪	王朗	蘇則	華歆	董昭	溫恢	任嘏	閻柔	劉曄	薛夏	劉廙			黃權
繇	曹休		司馬	徐宣	傅巽	邢顒	衛臻	王淩		鮮于	劉靖	賈詡	桓階			
陳	曹真		懿	卞蘭	杜畿	劉劭	吳質	王昶		輔	蔣濟		龐德			
群	夏侯		裴潛	王肅	嚴苞	孟康	蘇林	孫資		盧毓	胡質		公			
辛	惇		王象	陳矯		崔林	顏斐			徐邈						
毗	曹洪		荀緯	諸葛		韓宣	高柔			劉放						
趙	夏侯		司馬	誕			王觀									
儼	楙		孚				路粹									
應	夏侯		衛覬													
璩	湛		鄭沖													
邯鄲	劉靖															
淳	桓範															
鍾毓	曹爽															
杜襲																

丞相掾屬

魏國公卿

不明州籍者：楊秋、鄭稱、孟達、董巴、韓遜、桓纂

附表三十八：明帝時政務官員州籍分析表

豫州			司州	徐州	雍州	冀州	兗州	并州	青州	幽州	揚州	涼州	荊州	秦州	梁州	益州
汝穎	譙沛	其他														
鍾	曹休	何曾	司馬	王朗	韋誕	華歆	滿寵	孫資	王忠	盧毓	劉曄		韓暨			黃
繇	曹真	袁侃	懿	徐宣	傅巽	劉劭	董昭		任嘏	劉放	劉陶		鄧艾			權
陳	燕王		毛嘉	王肅	馬鈞	許允	衛臻			孫禮	何楨		鄧颺			
群	宇		常林	陳矯	李豐	崔林	吳質				蔣濟					
辛	夏侯		董遇	繆襲	杜恕	張部	蘇林									
毗	玄		司馬	諸葛	張緝	郭表	高堂									
趙	曹爽		師	誕		甄溫	隆									
儼	曹肇		毛曾			甄像	臧艾									
應	夏侯		裴潛			甄暢	薛悌									
璩	楙		司馬			甄逸	王思									
荀彪	劉靖		孚			韓宣	王觀									
邯	桓範		毋丘				魏衡									
鄲	夏侯		儉				王業									
淳	惠		衛覬													
鍾																
毓																
杜																
襲																
郭敞																
陳泰																
和洽																

許混																
庾峻																
荀閎																

文帝時已任職政務機關

不明州籍者：鄭德、秦朗、郭謀、李韜、甄歆、陶成嗣、王嘉、趙咨、廉昭、楊偉、刁幹、孫炎

附表三十九：正始年間政務官員州籍分析表

豫州			司州	徐州	雍州	冀州	兗州	并州	青州	幽州	揚州	涼州	荊州	秦州	梁州	益州
汝穎	譙沛	其他														
趙	夏侯	孔乂	司馬	王肅	韋誕	許允	滿寵	孫資	孫邕	盧毓	蔣濟	郭芝	鄧颺			黃
儼	玄		懿	繆襲	李豐	崔林	高柔	王淩	王基	劉放			何晏			權
應	曹爽		裴潛		傅嘏	甄暢	衛臻	王沈		徐邈			龐德			
璩	丁謐		司馬		傅充	王黎	畢軌						公			
鍾			昭				王弼									
毓			司馬				阮籍									
陳			駿													
泰			鄭袤													
庾			裴秀													
峻			賈充													
荀顗			司馬													
鍾會			孚													

明帝時已任職政務機關

不明州籍者：鍾統、鄭□、望、朱整、桓纂、黃休、郭彝、孫炎

附表四十：嘉平至魏末政務官員州籍分析表

豫州			司州	徐州	雍州	冀州	兗州	并州	青州	幽州	揚州	涼州	荊州	秦州	梁州	益州
汝潁	譙沛	其他														
鍾會 鍾毓 陳泰 荀顗 和逌 荀勖 應璩 周浚	曹彥 丁謐 劉熙 夏侯和 武周	何曾 袁亮 袁侃 唐彬	裴潛 司馬昭 司馬孚 鄭沖 司馬師 司馬望 裴秀 鄭袤 衛瓘 司馬炎 賈充 司馬攸 司馬亮	王祥 諸葛誕 卞隆 王恂 王肅 陳騫 繆施	張緝 韋誕 傅嘏 魯芝 杜預 華嶠 李豐 傅玄 蘇愉	甄像 華表 孟康 崔贊 王經 許允 石苞 劉寔 石鑒	高柔 王觀 范粲 阮籍 王業 虞松 羊祜 王宏 程曉 魏舒 魏衡 孫該 阮諶 羊瑾 蔡睦	王淩 王昶 郭淮 王渾 王沈 王默	孫邕 鄭小同 劉毅 任愷 王基	盧毓 盧欽 張華 孫禮	蔣濟 何楨 劉陶	周生烈	鄧艾 鄧颺 樊建 董厥 樂廣 鄒湛			黃權

			司馬壞 向雄 司馬珪 司馬晃 山濤 裴楷 裴徽 鄭默													

正始年間已任職政務機關　尚有不明州籍者：孫壹、王夔、趙酆、荀廙、司馬□、□儀、徐紹、孫彧、吳奮、糜元、樂方、徐超、寇閔、楊綜、李允、徐劭、高延、劉基、高達、荀訥、何貞、朱整、劉階、甄備、王伯興、楊文宗、秦靜、裴演、司馬。

附表四十一：丞相曹操之掾屬州籍一覽表

州名	兗州	司隸	豫州	冀州	青州	并州	徐州	揚州	荊州	幽州	涼州
1	董昭★	張承	袁渙	邢顒★	華歆★	王淩	王朗★	蔣濟	桓階	盧毓	傅巽
2	王粲	李義	杜襲	崔琰	國淵★	令狐劭	陳矯★	胡質	劉廙	田豫	傅幹
3	路粹★	杜夔	郭嘉★	韓宣	任嘏	溫恢	徐奕★	劉曄★	韓暨	徐邈	薛夏
4	涼茂★	司馬懿	荀攸★	沐並	邴原★	孫資	徐宣★				
5	毛玠★	賈逵	鍾繇	牽招	王烈	郭淮					
6	薛悌★	楊脩	辛毗	崔林		荀緯					
7	王國★	司馬朗★	繁欽								
8	程昱	張範	趙儼★								
9	仲長統	裴潛	荀彧								
10	衛臻	常林	何夔★								
11	高柔	賈洪	陳群★								
12	高堂隆	隗禧	丁儀								
13	王觀	耿紀	應瑒								
14	鮑勛	鄭渾	和洽								
15	劉楨★	楊俊	袁霸								
16	郭諶										

尚有不明州籍：薛洪、董蒙、王選、任藩、張京、董芬、成公綏、徐晃、萬潛、謝奐、袁霸、王必、典滿、郭諶、荀緯、趙勘、龐淯。衛覬

★曾任司空掾屬

士族

附表四十二：司馬氏掾屬州籍統計表

豫州	司州	兗州	幽州	冀州	徐州	荊州	雍州	并州	青州	涼州	揚州	秦州
武陔	賈充	阮籍	盧欽	劉寔	劉頌	董厥	傅嘏	李	劉毅	胡奮		
鍾會	山濤	羊祜	張華	邵悌	王戎	樊建	杜預	郭奕				
荀勖	裴楷	魏舒	祖武									
唐彬												
夏侯和												

第七章　結論

有關曹魏時期政務機關，經過以上各章的討論，得到如下的兩部份結論：第一部份是有關曹魏時期的政治發展，共分七點。

第一是建安年間的政制與東漢時期相比較，確是有很大的不同，主要是曹操的影響，因此前面說建安年間是關鍵期、曹操有著重要的地位。

第二，魏晉時期的丞相、相國一職成爲篡奪政權之工具，實始自曹操，東漢後期雖有董卓以相國專權，但他的情況似有不同，董卓似並未企圖建立屬於自己的皇朝；反觀曹操，自在建安十三年爲丞相後，即展開積極部署，最後以魏國之名組織過渡政府，至曹丕即位完成篡漢的目標。

第三，曹操在篡漢的過程中，所用的方法是透過他擔任司空、丞相等職位，以此等職位的掾屬，建立其權力基礎，範圍包括各州人士，社會各階層的精英。

第四，曹操去世，曹丕繼位，立刻改變曹操時期的政治制度，如丞相制改爲三公制，名義回復東漢時三公制，實際上更回到東漢時的三公不預實政之情形，以便使文帝親統尚書臺、侍中、中書等掌握行政實權、治理國家。

第五，曹魏初期諸公官皆不預實政，除大司馬、大將軍外，因爲此二職實爲掌管曹魏政權中的軍事力量，所以曹魏初期對此二職之人選非常愼重，擔任者皆爲曹氏家族。但這樣的情況至明帝死、齊王芳即位時改變，關鍵在司馬懿身上。司馬懿以勳臣宿將的地位，由明帝委以重任，期能綱維王室，此事的推手是劉放及孫資，只是結果卻與明帝所希望的背道而馳。

第六，司馬懿的得權，同時也改變諸公官不預實政的慣例，從此太尉、太傅等從前淸望之職，一變而爲司馬氏據以擴充權力的基礎；同時對尚書臺、門下及中書等，司馬氏也運用其影響力，滲透其勢力於其中，最後則如尚書王經所說「今權在其門久矣，朝廷四方皆為之致死，不顧逆順之理，非一日也。」[1]

第七，曹操的篡漢過程及方法，被司馬家族學習，自嘉平以後，由司馬懿起至司馬炎，從太傅到相國，司馬家族模仿曹操的方法，在曹魏政權時期建立自己的領導班底，最後篡魏成晉。

---

[1] 《三國志》，卷 4<魏書・高貴鄉公紀>注引《漢晉春秋》，（台北：鼎文書局，1980），頁 144。

第二部份則有關政治制度，共分三點；第一點是有關諸公方面，除相國之地位較特別，不易歸納外，其餘可分爲兩個系統觀察，一爲司空、司徒、太尉及太傅，另一系統則是大將軍及大司馬。曹魏初期（從曹操至魏明帝去世），司空、司徒、太尉及太傅皆不預實政，大司馬及大將軍則掌握著曹魏的重要軍事權力，兩系統在當時的權力結構有著重大差別；同時在升遷上兩系統也各自獨立，互不相涉；至司馬懿由大將軍轉太尉，才打破兩系統的各自獨立的慣例，而且在政治的影響力上產生變化。

第二點就尚書臺而言，尚書臺似已建立一套升遷制度，特別是尚書令僕等重要領導職位，多由尚書臺官員內遷而上，非自外遷入，故尚書臺的升遷可稱爲內遷型制度。

第三點則爲門下，由於職權是備顧問，似有儲備政治人才的功能，故其入遷之途徑較廣泛，不限定於門下官員之升轉，另外，侍中與散騎常侍也隱約有文武不同的兩個系統，以爲領導者提供不同的顧問人才。

由上面的這些情形，我們看到制度絕不是僵化、一成不變的，它的變化常呈現現實權力移轉的軌跡，有些明目張膽、路人皆知，有些卻幽闇隱微，但影響深遠；無論如何，人與制度互動密切，制度規範人的權力、職掌、行爲，人又在制度中作用、改變制度，甚至利用制度。人與制度相互交錯糾葛，唯有二者並列齊觀，庶幾可略爲貼近歷史真貌。

附錄一：曹魏中央政務機關任職官員一覽表

資料來源：三國職官表【新校本三國志】

官名	屬官	次屬官	設置時間	姓名	籍貫	備註
丞相				鍾繇	豫州【潁川長社】	三國志魏書鍾繇傳頁 391
				華歆	冀州【平原高唐】	三國志魏書華歆傳頁 401
				司馬昭	司州【河內溫縣】	晉書文帝紀頁 32
				司馬炎	司州【河內溫縣】	晉書武帝紀頁 49
	中衛將軍		咸熙元年	龐會	【＊】	
	驍騎將軍		咸熙元年			
	軍師祭酒		建安三年	董昭	兗州【濟陰定陶】	三國志魏書董昭傳頁 436
				薛洪	【＊】	
				董蒙	【＊】	
				王選	【＊】	
				袁渙	兗州【陳郡扶樂】	三國志魏書袁渙傳頁 333
				王朗	徐州	三國志魏

					【東海郯人】	書王朗傳頁 406
				任藩	【＊】	
				杜襲	豫州【穎川定陵】	三國志魏書杜襲傳頁 664
				王粲	兗州【山陽高平】	三國志魏書王粲傳頁 597
				傳巽	雍州【北地泥陽】	三國志魏書傳嘏傳頁 622
				張承	司州【河內脩武】	三國志魏書 張 範 弟 承 傳頁 336
				郭嘉	豫州【穎川陽翟】	三國志魏書郭嘉傳頁 431
				張京	【＊】	
				李義	雍州【馮翊東縣】	三國志魏書裴潛傳頁 674
				杜夔	司州【河 南 人】	三國志魏書杜夔傳

						頁 806
				董芬	司州【弘 農 人】	後漢書左慈傳 頁 2748
	中軍師			王淩	并州【太原祁人】	三國志魏書王淩傳頁 757
				荀攸	豫州【潁川潁陰】	
	前軍師			鍾繇	豫州【潁川長社】	三國志魏書鍾繇傳頁 391
	後軍師					
	左軍師			涼茂	兗州【山陽昌邑】	三國志魏書涼茂傳頁 338
	右軍師			毛玠	兗州【陳留平丘】	三國志魏書毛玠傳頁 374
	軍師			華歆	冀州【平原高唐】	三國志魏書華歆傳頁 401
				成公綏	兗州【東郡白馬】	晉書成公綏傳 頁 2371

				山濤	司州【河內懷人】	晉書山濤傳 頁1223
	司直			韋晃	【＊】	
	左右長史			薛悌（左）	兗州【東郡】	三國志魏書陳矯傳頁645
				王國（右）	兗州【東平】	三國志魏書陳矯傳頁645
				萬潛	【＊】	
				謝奐	【＊】	
				袁霸	豫州【陳郡扶樂】	三國志魏書袁渙傳頁336
				王必	【＊】	
				陳矯	徐州【廣陵東陽】	三國志魏書陳矯傳頁645
				辛毗	豫州【潁川陽翟】	三國志魏書辛毗傳頁695
				蔣濟	揚州【楚國平阿】	三國志魏書蔣濟傳頁450

				吳質	兗州【濟 陰 人】	三國志魏書王粲/吳質傳頁607
				司馬懿	司州【河內溫縣】	晉書宣帝紀頁1
				徐奕	徐州【東 莞 人】	三國志魏書徐奕傳頁377
				杜襲	豫州【潁川定陵】	三國志魏書杜襲傳頁664
				趙戩	【長 陵 人】	後漢書王允傳頁2177
				陳騫	徐州【臨淮東陽】	晉書陳騫傳頁1035
				張華	幽州【范陽方城】	晉書張華傳頁1068
				孫該（右）	【*】	
				山濤（左）	司州【河內懷人】	晉書山濤傳頁

						1223
	留府長史			徐奕	徐州【東 莞 人】	三國志魏書徐奕傳頁 377
				杜襲	豫州【潁川定陵】	三國志魏書杜襲傳頁 664
				國淵	青州【樂安蓋人】	三國志魏書國淵傳頁 339
	行軍長史			劉曄	揚州【淮南成□】	三國志魏書劉曄傳頁 442
	左右司馬二人			典滿	【＊】	
				司馬懿	司州【河內溫縣】	晉書宣帝紀頁 1
				夏侯和（左）	豫州【沛國譙人】	三國志魏書夏侯淵傳 頁 273
	從事中郎			山濤	司州【河內懷人】	晉書山濤傳 頁 1223
				羊祜	兗州【泰山南城】	晉書羊祜傳 頁

						1013
	主簿祭酒			賈逵	雍州 【扶風平陵】	後漢書賈逵傳 頁1234
	主簿			楊修	司州 【弘農華陰】	後漢書禰衡傳 頁2653
				劉曄	揚州 【淮南成□】	三國志魏書劉曄傳頁 442
				蔣濟	揚州 【楚國平阿】	三國志魏書蔣濟傳頁 450
				司馬懿	司州 【河內溫縣】	晉書宣帝紀頁 1
				司馬朗	司州 【河內溫縣】	三國志魏書司馬朗傳 頁465
				令狐劭	并州 【太原】	
				溫恢	并州 【太原祁人】	三國志魏書溫恢傳頁 478
				賈逵	【扶風平陵】	後漢書賈逵傳 頁

						1234
				王淩	并州【太原祁人】	三國志魏書王淩傳頁 757
				繁欽	豫州【穎川】	
				桓階	荆州【長沙臨湘】	三國志魏書桓階傳頁 631
				趙儼	豫州【穎川陽翟】	三國志魏書趙儼傳頁 668
				劉毅	青州【東萊掖人】	後漢書劉毅傳 頁 2616
				郭奕	并州【太原陽曲】	晉書郭奕傳 頁 1288
	參軍祭酒			張承	司州【河內脩武】	三國志魏書 張 範 弟 承 傳 頁 336
	參軍			荀彧	豫州【穎川穎陰】	三國志魏書 傳 頁 荀彧 307

				張範	司州【河內脩武】	三國志魏書張範弟承傳頁336
				張承	司州【河內脩武】	三國志魏書張範弟承傳頁336
				何夔	豫州【陳郡陽夏】	三國志魏書何夔傳頁378
				邢顒	冀州【河間鄚人】	三國志魏書邢顒傳頁382
				程昱	兗州【東郡東阿】	三國志魏書程昱傳頁425
				孫資	并州【太原人】	三國志魏書劉放/孫資傳頁457
				仲長統	兗州【山陽高平】	三國志魏書劉劭/仲長統傳頁620

				陳群	豫州【穎川許昌】	三國志魏書陳群傳頁 633
				衛臻	兗州【陳留襄邑】	三國志魏書衛臻傳頁 647
				裴潛	司州【河東聞喜】	三國志魏書裴潛傳頁 671
				傅幹	雍州【北地人】	三國志魏書武帝操傳 頁 44
				徐紹	【*】	
				郭豫	【*】	
				耿融	【*】	
				董厥	荆州【義 陽 人】	三國志蜀書諸葛亮董厥 樊建傳 頁933
				樊建	荆州【義 陽 人】	三國志蜀書諸葛亮/董厥 樊建傳 頁933

				劉邁	【*】	
				魏舒	兗州 【任城樊人】	晉書魏舒傳 頁 1185
				劉寔	冀州 【平原高唐】	晉書劉寔傳 頁 1190
				杜預	雍州 【京兆杜陵】	晉書杜預傳 頁 1025
				司馬楙	【*】	
				孔顥	【*】	
				王深	【*】	
	參戰		咸熙元年置			
	西曹屬			郭諶（掾）	兗州 【東 郡】	三國志魏書張魯傳頁 265
				丁儀	豫州 【沛國】	三國志魏書王粲傳頁 602
				崔琰（屬）	冀州 【淸河東武城】	三國志魏書崔琰傳頁 367
				蔣濟	揚州 【楚國平阿】	三國志魏書蔣濟傳

						頁 450
				邵悌	冀州【陽 平 人】	三國志魏書鍾會傳頁 794
				盧毓（令史）	幽州【涿郡涿人】	三國志魏書盧毓傳頁 650
	東曹掾			崔琰（掾）	冀州【清河東武城】	三國志魏書崔琰傳頁 367
				毛玠	兗州【陳留平丘】	三國志魏書毛玠傳頁 374
				何夔	豫州【陳郡陽夏】	三國志魏書何夔傳頁 378
				邢顒	冀州【河間鄚人】	三國志魏書邢顒傳頁 382
				徐宣	徐州【廣陵海西】	三國志魏書徐宣傳頁 645
				陳群	豫州【穎川許昌】	三國志魏書陳群傳頁 633

				司馬懿（屬）	司州【河內溫縣】	晉書宣帝紀頁 1
				崔琰	冀州【淸河東武城】	三國志魏書崔琰傳頁 367
				徐奕	徐州【東 莞 人】	三國志魏書徐奕傳頁 377
				常林	司州【河內溫縣】	三國志魏書常林傳頁 658
				任嘏	青州【樂 安】	後漢書鄭玄傳 頁 1212
				胡質（令史）	揚州【楚國壽春】	三國志魏書胡質傳頁 741
				徐邈	幽州【燕國薊人】	三國志魏書徐邈傳頁 739
	戶曹掾			衛臻（掾）	兗州【陳留襄邑】】	三國志魏書衛臻傳頁 647
	金曹掾		咸熙元年置			
	賊曹掾		咸熙元年置			

	兵曹掾			郭淮（令史）	并州【太原陽曲】	三國志魏書郭淮傳頁 733
	騎兵掾		咸熙元年置	朱撫（屬）	【*】	
	車曹掾		咸熙元年置			
	鎧曹掾		咸熙元年置	唐彬（屬）	豫州【魯國鄒人】	書唐彬傳頁 1217
	水曹掾		咸熙元年置	孫彧（屬）	【*】	
	集曹掾		咸熙元年置			
	法曹掾			高柔（掾）	兗州【陳留圉人】	三國志魏書高柔傳頁 682
				盧毓（令史）	幽州【涿郡涿人】	三國志魏書盧毓傳頁 650
	奏曹掾		咸熙元年置			
	倉曹屬			劉廙	荆州【南陽安眾】	三國志魏書劉廙傳頁 613
				高柔	兗州【陳留圉人】	三國志魏書高柔傳頁 682
				裴潛	司州	三國志魏

					【河東聞喜】	書裴潛傳頁671
				傅幹	雍州【北地人】	三國志魏書武帝操傳 頁44
				楊脩	司州【弘 農】	後漢書禰衡傳 頁2653
	戎曹屬		咸熙元年置			
	馬曹屬		咸熙元年置			
	媒曹屬		咸熙元年置			
	散屬		咸熙元年置			
	記室					
	門下督			邢顒	冀州【河間鄚人】	三國志魏書邢顒傳頁382
	舍人19人					
	徵事			邴原	青州【北海朱虛】	三國志魏書邴原傳頁350
				王烈	冀州【平 原】	三國志魏書管寧/王烈傳頁354

				崔琰	冀州【清河東武城】	三國志魏書崔琰傳頁 367
	校事（撫軍都尉）					
	理曹掾					
	掾			裴潛	司州【河東聞喜】	三國志魏書裴潛傳頁 671
				高柔	兗州【陳留圉人】	三國志魏書高柔傳頁 682
				賈洪	雍州【京兆新豐】	三國志魏書王朗/孫叔然傳頁 421
				薛夏	涼州【天 水 人】	三國志魏書王朗/孫叔然傳頁 421
				隗禧	雍州【京 兆 人】	三國志魏書王朗/孫叔然傳頁 422
				韓宣	冀州	三國志魏

					【勃 海 人】	書裴潛傳頁 675
				令狐劭	并州【太原】	
				荀緯	司州【河內】	
				徐邈	幽州【燕國薊人】	三國志魏書徐邈傳頁 739
				沐並	冀州【河 閒 人】	三國志魏書常林傳頁 661
				田豫	幽州【漁陽雍奴】	三國志魏書田豫傳頁 726[1]
				牽招	冀州【安平觀津】	三國志魏書牽招傳頁 730
				高堂隆	兗州【泰山平陽】	三國志魏書高堂隆傳 頁 708
				丁儀	豫州【沛國】	三國志魏書王粲傳

[1] 漁陽雍奴不見於曹魏十三州內，掾《後漢書》<郡國志>屬幽州，《晉書》<地理志>雖不屬漁陽郡，仍屬幽州的燕國，故放在幽州。

						頁 602
				高柔	兗州【陳留圉人】	三國志魏書高柔傳頁 682
				司馬懿	司州【河內溫縣】	晉書宣帝紀頁 1
				韓暨	荆州【南陽堵陽】	三國志魏書韓暨傳頁 677
				王粲	兗州【山陽高平】	三國志魏書王粲傳頁 597
				耿紀	【*】	
				鄭渾	司州【河南開封】	三國志魏書鄭渾傳頁 508
				鮑勛	兗州【泰山平陽】	三國志魏書鮑勛傳頁 383
				趙勘	【*】	
				丁儀	豫州【沛國】	三國志魏書王粲傳頁 602
				王烈	冀州【平 原】	三國志魏書管寧

						王烈傳頁 354
				應瑒	豫州【汝 南】	三國志魏書王粲傳頁 599
				劉楨	兗州【東 平】	三國志魏書王粲傳頁 602
				劉廙	荊州【南陽安眾】	三國志魏書劉廙傳頁 613
				和洽	豫州【汝南西平】	三國志魏書和洽傳頁 655
				王淩	并州【太原祁人】	三國志魏書王淩傳頁 757
				龐涓	【＊】	
				鄭渾	司州【河南開封】	三國志魏書鄭渾傳頁 508
				崔林	冀州【清河東武城】	三國志魏書崔林傳頁 679
太傅				鍾繇	豫州	三國志魏

					【潁川長社】	書鍾繇傳頁 391
				司馬懿	司州【河內溫縣】	晉書宣帝紀頁 1
				司馬孚	司州【河內溫縣】	晉書安平獻王孚傳頁 1085
	左右長史		嘉平二年增置二人			
	司馬					
	從事中郎			傅嘏	雍州【北地泥陽】	三國志魏書傅嘏傳頁 622
				盧欽	幽州【范陽涿人】	晉書盧欽傳 頁 1254
				阮籍	兗州【陳留尉氏】	晉書阮籍傳 頁 1359
	主簿					
	掾屬舍人 10 人					
太保				鄭沖	司州【河南開封】	晉書鄭沖傳 頁 991
	長史					

	從事中郎					
	掾屬舍人					
大司馬			黃初二年置	曹仁	豫州【沛國譙人】	三國志魏書曹仁傳頁 274
				曹休	豫州【沛國譙人】	三國志魏書曹休傳頁 279
				曹真	豫州【沛國譙人】	三國志魏書曹真傳頁 280
	軍師			趙儼	豫州【潁川陽翟】	三國志魏書趙儼傳頁 668
	長史					
	司馬					
	從事中郎			阮籍	兗州【陳留尉氏】	晉書阮籍傳頁 1359
	參軍					
	列曹掾屬			魯芝（掾）	雍州【扶風郿人】	晉書魯芝傳頁 2328
大將軍			建安廿五年	夏侯惇	豫州【沛國譙人】	三國志魏書夏侯惇

						傳 頁267
				曹仁	豫州【沛國譙人】	三國志魏書曹仁傳頁274
				司馬懿	司州【河內溫縣】	晉書宣帝紀頁1
				燕王宇	豫州【沛國譙人】	
				曹爽	豫州【沛國譙人】	
				司馬師	司州【河內溫縣】	
				司馬昭	司州【河內溫縣】	
	軍師			杜襲	豫州【潁川定陵】	三國志魏書杜襲傳頁664
				辛毗	豫州【潁川陽翟】	三國志魏書辛毗傳頁695
	長史			應璩	豫州【汝南】	三國志魏書王粲傳頁599
				阮籍	兗州【陳留尉氏】	晉書阮籍傳 頁

						1359
				鄧颺	荊州【南陽】	三國志魏書曹爽傳頁 283
				孫禮	幽州【涿郡容城】	三國志魏書孫禮傳頁 691[2]
				楊綜	【＊】	
				令狐愚	【＊】	
				司馬璉（左）	【＊】	
				賈充（右）	司州【平陽襄陵】	晉書賈充傳 頁 1165
				李熹	【＊】	
	司馬			曹纂	【＊】	
				魯芝	雍州【扶風郿人】	晉書魯芝傳 頁 2328
				胡奮	涼州【安定臨涇】	晉書胡奮傳 頁 1556
				賈充	司州	晉書賈充

[2]涿郡不見於曹魏十三州內，據《後漢書》＜郡國志＞屬幽州，《晉書》＜地理志＞雖無涿郡，容城仍屬幽州的燕國，故放在幽州。

					【平陽襄陵】	傳 頁 1165
				李熹	【*】	
	從事中郎			荀詵	【*】	
				王基	青州【東萊曲城】	三國志魏書王基傳頁 750
				鄭袤	司州【河南開封】	晉書鄭袤傳 頁 1249
				鄭沖	司州【河南開封】	晉書鄭沖傳 頁 991
				阮籍	兗州【陳留尉氏】	晉書阮籍傳 頁 1359
				李熹	【*】	
				武陔	豫州【沛國竹邑】	晉書武陔弟茂傳頁 1284
				鍾會	豫州【潁川長社】	三國志魏書鍾會傳頁 784
				李允	荊州【江 夏】	三國志吳書孫靜/皎傳 頁

						1207
				荀勖	豫州【潁川潁陰】	晉書荀勖傳頁1152
				山濤	司州【河內懷人】	晉書山濤傳頁1223
	主簿			楊綜	【*】	
				師纂	【*】	
	參軍			荀融	豫州【潁川人】	三國志魏書鍾會/王弼傳頁795
				阮籍	兗州【陳留尉氏】	晉書阮籍傳頁1359
				楊偉	雍州【馮翊】	
				辛敞	豫州【潁川陽翟】	三國志魏書斗毗傳頁699
				賈充	司州【平陽襄陵】	晉書賈充傳頁1165
				荀勖	豫州	晉書荀勖

					【潁川潁陰】	傳 頁 1152
	記室			荀勖	豫州【潁川潁陰】	晉書荀勖傳 頁 1152
	西曹掾		司馬師置			
	東曹掾		司馬師置			
	戶曹掾		司馬師置			
	倉曹掾		司馬師置			
	賊曹掾		司馬師置			
	金曹掾		司馬師置			
	水曹掾		司馬師置			
	兵曹掾		司馬師置			
	騎兵掾		司馬師置			
	鎧曹掾		司馬師置			
	營軍都督					
	刺姦都督					
	帳下都督			成倅	【*】	
				嚴世	【*】	
	舍人 14 人			王羕	【*】	
太尉			延康元年	賈詡	涼州【武威姑臧】	三國志魏書賈詡傳頁 326
				鍾繇	豫州	三國志魏

					【潁川長社】	書鍾繇傳頁391
				華歆	冀州【平原高唐】	三國志魏書華歆傳頁401
				司馬懿	司州【河內溫人】	晉書宣帝紀頁1
				滿寵	兗州【山陽昌邑】	三國志魏書滿寵傳頁721
				蔣濟	揚州【楚國平阿】	三國志魏書蔣濟傳頁450
				王淩	并州【太原祁人】	三國志魏書王淩傳頁757
				司馬孚	司州【河內溫人】	晉書安平獻王孚傳頁1085
				高柔	兗州【陳留圉人】	三國志魏書高柔傳頁682
				鄧艾	荊州【義陽棘陽】	三國志魏書鄧艾傳頁775

				王祥	徐州【琅邪臨沂】	晉書王祥傳 頁987
	軍師			裴潛	司州【河東聞喜】	三國志魏書裴潛傳頁671
	長史			沐		
				鄭默（左）	【＊】	
	司馬			陳珪	徐州【下 邳】	三國志魏書袁術傳頁209
	從事中郎			王觀	兗州【東郡廩丘】	三國志魏書王觀傳頁693
	主簿					
	參軍					
	列曹掾屬		（掾）	鄧芝	荊州【義陽新野】	三國志蜀書鄧芝傳頁1071
				阮俱	【＊】	
				晉籍	【＊】	
				王彧	【＊】	
				夏侯湛	豫州【譙國譙人】	晉書夏侯湛傳 頁1491

				范粲	兗州 【陳留外黃】	晉書范粲傳 頁 2431
			（屬）	朱誕	揚州 【吳 郡】	晉書賀循傳 頁 1825[3]
	營軍都督					
	刺姦都督					
	帳下都督					
	舍人 4 人			勞精	【*】	
司徒			黃初元年	華歆	冀州 【平原高唐】	三國志魏書華歆傳頁 401
				王朗	徐州 【東海郯人】	三國志魏書王朗傳頁 406
				董昭	兗州 【濟陰定陶】	三國志魏書董昭傳頁 436
				陳矯	徐州 【廣陵東陽】	三國志魏書陳矯傳頁 645
				韓暨	荊州	三國志魏

[3]吳郡不見於曹魏十三州內，據《後漢書》＜郡國志＞屬揚州，《晉書》＜地理志＞也屬揚州，故放在揚州。

					【南陽堵陽】	書韓暨傳 頁 677
				衛臻	兗州【陳留襄邑】	三國志魏書衛臻傳 頁 647
				高柔	兗州【陳留圉人】	三國志魏書高柔傳 頁 682
				鄭沖	司州【河南開封】	晉書鄭沖傳 頁 991
				鍾會	豫州【潁川長社】	三國志魏書鍾會傳 頁 784
				司馬望	司州【河內溫縣】	三國志魏書司馬朗傳 頁 468
	軍師					
	長史			沐		
	司馬					
	從事中郎					
	主簿			程咸	【*】	
	參軍					
	西曹掾			王覽	【*】	
	軍議掾			董尋	司州【河 東】	三國志魏書明帝叡

						傳 頁 110
	諸曹掾屬		（掾）	陳群	豫州【穎川許昌】	三國志魏書陳群傳頁 633
				司馬望	【河內溫縣】	
	司徒署吏			桓威	徐州【下 邳】	三國志魏書王粲/桓威傳頁 607
	司徒吏			解宏	【*】	
	司徒署			應余	【*】	
司空			黃初元年	華歆	冀州【平原高唐】	三國志魏書華歆傳頁 401
				王朗	徐州【東海郯人】	三國志魏書王朗傳頁 406
				陳群	豫州【穎川許昌】	三國志魏書陳群傳頁 633
				衛臻	兗州【陳留襄邑】	三國志魏書衛臻傳頁 647
				崔林	冀州【清河東武	三國志魏書崔林傳

					城】	頁 679
				趙儼	豫州【穎川陽翟】	三國志魏書趙儼傳頁 668
				高柔	兗州【陳留圉人】	三國志魏書高柔傳頁 682
				徐邈	幽州【燕國薊人】	三國志魏書徐邈傳頁 739
				王淩	并州【太原祁人】	三國志魏書王淩傳頁 757
				孫禮	幽州【涿郡容城】	三國志魏書孫禮傳頁 691
				司馬孚	司州【河內溫人】	晉書安平獻王傳頁孚 1085
				鄭沖	司州【滎陽開封】	晉書鄭沖傳頁 991[4]

[4]《晉書》<鄭沖傳>本爲滎陽開封，滎陽不見於曹魏十三州內，據《後漢書》<郡國志>開封屬司州，《晉書》<地理志>也屬司州，

				盧毓	幽州【涿郡涿人】	三國志魏書盧毓傳頁 650
				諸葛誕	徐州【琅邪陽都】	三國志魏書諸葛誕唐 咨 傳頁 769
				王昶	并州【太原晉陽】	三國志魏書王昶傳頁 743
				王觀	兗州【東郡廩丘】	三國志魏書王觀傳頁 693
				王祥	徐州【琅邪臨沂】	晉書王祥傳 頁 987
				荀顗	豫州【潁 川 人】	晉書荀顗傳 頁 1150
	軍師祭酒			郭嘉	豫州【潁川陽翟】	三國志魏書郭嘉傳頁 431
				董昭	兗州【濟陰定陶】	三國志魏書董昭傳頁 436

故放在司州。

				徐幹	青州【北 海】	三國志魏書王粲傳頁599
				陳琳	徐州【廣 陵】	三國志魏書王粲傳頁599
				阮瑀	兗州【陳 留】	三國志魏書王粲傳頁599
				路粹	兗州【陳留】	
	軍師			荀攸	豫州【穎川穎陰】	三國志魏書荀攸傳頁321
	長史			劉岱	青州【東萊牟平】	後漢書董卓列傳頁2327
				沐		
	司馬			夏侯尙	豫州【沛國譙人】	
	從事中郎					
	主簿			劉放	幽州【涿 郡 人】	三國志魏書劉放傳頁456
				趙儼	豫州	三國志魏

					【潁川陽翟】	書趙儼傳頁 668
	參軍			華歆	冀州【平原高唐】	三國志魏書華歆傳頁 401
				王朗	【東海郯人】	
				曹純	豫州【沛國譙人】	
				賈詡	涼州【武威姑臧】	三國志魏書賈詡傳頁 326
				魯芝	雍州【扶風郿人】	晉書魯芝傳頁 2328
	西曹掾			陳群（掾）	豫州【潁川許昌】	三國志魏書陳群傳頁 633
				陳群（屬）	豫州【潁川許昌】	三國志魏書陳群傳頁 633
				梁習	豫州【陳郡柘人】	三國志魏書梁習傳頁 469
				梁習（令史）	豫州【陳郡柘人】	三國志魏書梁習傳

						頁 469
				王思	兗州【濟 陰】	三國志魏書梁習傳頁 470
	東曹掾			毛玠	兗州【陳留平丘】	三國志魏書毛玠傳頁 374
	戶曹掾			田疇	幽州【右北平無終人】	三國志魏書田疇傳頁 340[5]
	倉曹掾			劉曄	揚州【淮南成□】	三國志魏書劉曄傳頁 442
				阮瑀	兗州【陳 留】	三國志魏書王粲傳頁 599
	諸曹掾屬	軍謀掾		孫禮	幽州【涿郡容城】	三國志魏書孫禮傳頁 691
		東閤祭酒		邴原	青州【北海朱虛】	三國志魏書邴原傳頁 350
		刺姦主簿		溫恢	并州	三國志魏

[5]右北平不見於曹魏十三州內，據《後漢書》<郡國志>右北平屬幽州，《晉書》<地理志>也屬幽州，故放在幽州。

					【太原祁人】	書溫恢傳頁 478
		司直		杜畿	雍州【京兆杜陵】	三國志魏書杜畿傳頁 493
		門下督		陳琳	徐州【廣 陵】	三國志魏書王粲傳頁 599
				徐宣	徐州【廣陵海西】	三國志魏書徐宣傳頁 645
儀同三司			景初三年	黃權	益州【巴西閬中】	三國志蜀書黃權傳頁 1043
				劉放	幽州【涿 郡 人】	三國志魏書劉放傳頁 456
				孫資	并州【太原人】	三國志魏書劉放/孫資傳頁 457
				王淩	并州【太原祁人】	三國志魏書王淩傳頁 757
				郭淮	并州	三國志魏

					【太原陽曲】	書郭淮傳頁733
				王昶	并州【太原晉陽】	三國志魏書王昶傳頁743
				諸葛誕	徐州【琅邪陽都】	三國志魏書諸葛誕唐咨傳頁769
				孫壹	【*】	
特進				楊秋	【*】	
				鮮于輔	幽州【漁陽】	後漢書公孫瓚傳頁2363
				閻柔	【*】	
				曹洪	豫州【沛國譙人】	
				郭表	冀州【安平廣宗】	
				毛嘉	司州【河內】	
				張郃	冀州【河間鄚人】	三國志魏書張郃傳頁524
				劉放	幽州	三國志魏

					【涿 郡 人】	書劉放傳頁 456
				孫資	并州 【太原人】	三國志魏書劉放/孫資傳頁 457
				衛臻	兗州 【陳留襄邑】	三國志魏書衛臻傳頁 647
				王夔	【*】	
				張緝	雍州 【馮翊高陵】	
				卞隆	徐州 【琅邪開陽】	
				甄像	冀州 【中山無極】	
光祿大夫				楊彪	司州 【弘農華陰】	
				董昭	兗州 【濟陰定陶】	三國志魏書董昭傳頁 436
				徐宣	徐州 【廣陵海西】	三國志魏書徐宣傳頁 645
				衛臻	兗州	三國志魏

					【陳留襄邑】	書衛臻傳頁 647
				毛嘉	司州【弘農華陰】	
				陳矯	徐州【廣陵東陽】	三國志魏書陳矯傳頁 645
				常林	司州【河內溫人】	三國志魏書常林傳頁 658
				劉放	幽州【涿 郡 人】	三國志魏書劉放傳頁 456
				孫資	并州【太原人】	三國志魏書劉放/孫資傳頁 457
				裴潛	司州【河東聞喜】	三國志魏書裴潛傳頁 671
				徐邈	幽州【燕國薊人】	三國志魏書徐邈傳頁 739
				張緝	雍州【馮翊高陵】	

				王夔	【*】	
				盧毓	幽州 【涿郡涿人】	三國志魏書盧毓傳頁 650
				孫邕	青州 【濟 南】	後漢書王和平傳頁 2751
				卞隆	徐州 【琅邪開陽】	
				韋誕	雍州 【京兆】	
				陳泰	豫州 【穎川許昌】	
				王觀	兗州 【東郡廩丘】	三國志魏書王觀傳頁 693
				鄭袤	司州 【河南開封】	晉書鄭袤傳頁 1249
				裴秀	司州 【河東聞喜】	晉書裴秀傳頁 1037
				武周	豫州 【沛 國】	三國志魏書臧霸孫觀傳

						頁 537
				何楨	【＊】	
侍中			建安十八年	王粲	兗州【山陽高平】	三國志魏書王粲傳 頁 597
				和洽	豫州【汝南西平】	三國志魏書和洽傳頁 655
				杜襲	豫州【潁川定陵】	三國志魏書杜襲傳頁 664
				衛覬	司州【河東安邑】	三國志魏書衛覬傳頁 610
				耿紀	【＊】	三國志魏書杜畿傳頁 494
				陳群	豫州【潁川許昌】	三國志魏書陳群傳頁 633
				桓階	荊州【長沙臨湘】	三國志魏書桓階傳頁 631
				趙儼	豫州【潁川陽翟】	三國志魏書趙儼傳

						頁 668
				劉廙	荊州【南陽安眾】	三國志魏書劉廙傳頁 613
				鮑勛	兗州【泰山平陽】	三國志魏書鮑勛傳頁 383
				鄭稱	【*】	
				辛毗	豫州【潁川陽翟】	三國志魏書辛毗傳頁 695
				劉曄	揚州【淮南成□】	三國志魏書劉曄傳頁 442
				夏侯楙	豫州【沛國譙人】	三國志魏書夏侯惇傳 頁 268
				溫恢	并州【太原祁人】	三國志魏書溫恢傳頁 478
				司馬懿	司州【河內溫人】	晉書宣帝紀頁 1
				董昭	兗州【濟陰定陶】	三國志魏書董昭傳頁 436

				鄭德	【*】	
				傅巽	雍州【北地泥陽】	三國志魏書傅嘏傳頁622
				邢顒	冀州【河間鄚人】	三國志魏書邢顒傳頁382
				蘇則	雍州【扶風武功】	三國志魏書蘇則傳頁490
				吳質	兗州【濟陰人】	三國志魏書王粲/吳質傳頁607
				衛臻	兗州【陳留襄邑】	三國志魏書衛臻傳頁647
				黃權	益州【巴西閬中】	三國志蜀書黃權傳頁1043
				應璩	豫州【汝南】	三國志魏書王粲傳頁604
				繆襲	徐州【東海】	三國志魏書劉劭

						繆襲傳頁 620
				徐宣	徐州【廣陵海西】	三國志魏書徐宣傳頁 645
				甄溫	冀州【中山無極】	三國志魏書后妃傳頁 162
				劉放	幽州【涿郡人】	三國志魏書劉放傳頁 456
				孫資	并州【太原人】	三國志魏書劉放/孫資傳頁 457
				盧毓	幽州【涿郡涿人】	三國志魏書盧毓傳頁 650
				陳矯	徐州【廣陵東陽】	三國志魏書陳矯傳頁 645
				高堂隆	兗州【泰山平陽】	三國志魏書高堂隆傳頁 708
				王肅	徐州	三國志魏

					【東海郯人】	書王朗傳頁418
				韋誕	雍州【京兆】	三國志魏書劉劭傳頁621
				董遇	司州【弘農】	三國志魏書王朗傳頁420
				孫邕	青州【濟 南】	後漢書王和平傳頁2751
				曹爽	豫州【沛國譙人】	三國志魏書曹爽傳頁282
				許允	冀州【高 陽】	三國志魏書夏侯尚/子玄傳頁302
				鄧颺	荊州【南陽新野】	三國志魏書曹爽傳頁283
				畢軌	兗州【東平】	三國志魏書曹真傳頁283
				何晏	荊州	三國志魏

					【南陽宛人】	書曹爽傳頁283
				李豐	雍州【馮翊】	三國志魏書夏侯尚傳 頁301
				鍾統	【*】	
				鄭小同	【北海】	三國志魏書三少帝紀 頁142
				荀顗	豫州【潁川人】	晉書荀顗傳頁1150
				趙酆	【*】	
				華表	冀州【平原高唐】	晉書華表傳頁1260
				鍾毓	豫州【穎川長社】	三國志魏書鍾繇傳頁391
				司馬師	司州【河內】	
				司馬孚	司州【河內溫縣】	晉書安平獻王孚傳頁1085
				何曾	豫州	晉書何曾

					【陳國陽夏】	傳 頁 994
				鄭袤	司州【河南開封】	三國志魏書鄭渾傳頁 509/512
				陳泰	豫州【穎川許昌】	三國志魏書陳群傳頁 633
				司馬昭	司州【河內】	晉書文帝紀頁 32
				范粲	兗州【陳留外黃】	晉書范粲傳 頁 2431
				和逌	豫州【汝南西平】	三國志魏書和洽傳頁 657
				王沈	并州【太原晉陽】	晉書王沈傳 頁 1143
				孫壹	【*】	
				衛瓘	司州【河東安邑】	晉書衛瓘列傳頁 1055
				王祥	徐州【琅邪臨沂】	晉書王祥傳 頁 987

				鄭沖	司州【河南開封】	晉書鄭沖傳 頁991
				華表	冀州【平原高唐】	晉書華表傳 頁1260
				阮諶	兗州【陳留】	
				周生烈	涼州【敦煌】	三國志魏書王肅傳頁420
				武周	豫州【沛 國】	三國志魏書臧霸孫觀傳頁537
				王恂	徐州【東海郯人】	三國志魏書王肅傳頁418
	散騎常侍			夏侯尙	豫州【沛國譙人】	
				衛臻	兗州【陳留襄邑】	三國志魏書衛臻傳頁647
				傅巽	雍州【北地】	三國志魏書傅嘏傳頁622

				孟達	【＊】	
				王淩	并州【太原祁人】	三國志魏書王淩傳頁 757
				裴潛	司州【河東聞喜】	三國志魏書裴潛傳頁 671
				王象	司州【河 內】	三國志魏書楊俊傳頁 633
				徐宣	徐州【廣陵海西】	三國志魏書徐宣傳頁 645
				荀緯	司州【河內】	三國志魏書王粲傳頁 602
				蔣濟	揚州【楚國平阿】	三國志魏書蔣濟傳頁 450
				劉劭	冀州【廣平邯鄲】	三國志魏書劉劭傳頁 617
				劉靖	豫州【沛國相人】	三國志魏書劉馥傳頁 463

				卞蘭	徐州【琅邪開陽】	三國志魏書后妃傳頁158
				夏侯湛	豫州【譙國譙人】	三國志魏書夏侯淵傳 頁273
				孔乂	豫州【魯國】	三國志三國志魏書倉慈傳頁513
				劉放	幽州【涿郡人】	三國志魏書劉放傳頁456
				孫資	并州【太原人】	三國志魏書劉放/孫資傳頁457
				荀彪	豫州【穎川穎陰】	三國志魏書荀攸傳頁325
				繆襲	徐州【東海】	三國志魏書劉劭/繆襲傳頁620
				高堂隆	兗州	三國志魏

					【泰山平陽】	書高堂隆傳 頁708
				甄像	冀州 【中山無極】	三國志魏書后妃傳頁162
				王肅	徐州 【東海郯人】	三國志魏書王朗傳頁418
				曹肇	豫州 【沛國】	
				曹爽	豫州 【沛國】	
				應璩	豫州 【汝南】	三國志魏書王粲傳頁 599-604
				司馬師	司州 【河內溫人】	
				蘇林	兗州 【陳 留】	三國志魏書劉劭傳頁620
				甄暢	冀州 【中山無極】	三國志魏書后妃傳頁163
				毛曾	司州	三國志魏

					【河內】	書后妃傳頁 167
				孫禮	幽州【涿郡容城】	三國志魏書孫禮傳頁 691
				郭敞	豫州【穎川陽翟】	三國志魏書郭嘉傳頁431-436
				王忠	青州【北海營陵】	三國志魏書王脩傳頁 347
				丁謐	豫州【沛國】	三國志魏書曹真傳頁 283
				夏侯玄	豫州【沛國】	
				荀顗	豫州【穎川】	
				鍾毓	豫州【穎川長社】	三國志魏書鍾繇傳頁 400
				何曾	豫州【陳國陽夏】	晉書何曾傳頁 994
				司馬駿	司州	晉書司馬

					【河內溫人】	駿頁 1124
				孔乂	豫州 【魯國】	三國志魏書倉慈傳頁 513
				司馬昭	司州 【河內溫人】	
				鄭袤	司州 【河南開封】	三國志魏書鄭渾傳頁 509-512
				郭芝	涼州 【西平】	三國志魏書后妃傳頁 168
				曹彥	豫州 【沛國譙人】	
				司馬望	司州 【河內溫人】	三國志魏書司馬朗傳 頁 468
				荀廙	【*】	
				司馬□	司州 【河內溫人】	
				孟康	冀州 【安平】	三國志魏書杜畿傳頁 506
				鄭沖	司州	晉書鄭沖

					【河南開封】	傳 頁991
				口儀		
				王沈	并州 【太原晉陽】	晉書王沈傳 頁1143
				司馬攸	司州 【河內溫人】	
				阮籍	兗州 【陳留尉氏】	晉書阮籍傳 頁1359
				裴秀	司州 【河東聞喜】	晉書裴秀傳 頁1037
				王業	荆州 【武陵人】	三國志魏書三少帝紀 頁145
				司馬亮	司州 【河內溫人】	晉書汝南王亮 頁1591
				司馬炎	司州 【河內溫人】	晉書武帝紀
				衛瓘	司州 【河東安邑】	晉書衛瓘傳 頁1055
				賈充	司州	晉書王渾

					【平陽襄陵】	傳 頁 1201
				土渾	并州【太原晉陽】	
				徐紹	【＊】	三國志蜀書諸葛亮/董厥樊建傳頁933
				樊建	荆州【義陽人】	三國志蜀書諸葛亮/董厥樊建傳頁933
				董厥	荆州【義陽人】	
				孫彧	【＊】	
				司馬佃	司州【河內溫人】	晉書琅邪王佃傳頁1121
				吳奮	【＊】	後漢書劉毅傳 頁2616
				劉毅	青州【東萊掖人】	晉書盧欽傳 頁

						1254
				盧欽	幽州【范陽涿人】	
				麋元	【＊】	
				樂方	【＊】	
				徐超	【＊】	
				寇閱	【＊】	晉書任愷子罕傳頁 1285
	員外散騎常侍			任愷	青州【樂安博昌】	
	中常侍					晉書安平獻王孚傳頁 1085
	給事中			司馬孚	司州【河內溫縣】	
				司馬懿	司州【河內溫縣】	
				曹真	豫州【沛國】	三國志魏書董昭傳頁 436
				董昭	兗州【濟陰定陶】	三國志魏書劉劭傳頁 620
				蘇林	兗州	

					【陳 留】	
				董巴	【*】	三國志三國志魏書王粲傳頁 602
				邯鄲淳	豫州【潁川】	三國志魏書劉放傳頁 456
				劉放	幽州【涿郡人】	三國志魏書劉放/孫資傳頁 457
				孫資	并州【太原人】	
				秦朗	【*】	
				郭謀	【*】	三國志魏書杜夔傳頁 807
				馬鈞	雍州【扶風】	
				李豐	雍州【馮翊東縣】	三國志魏書裴潛傳頁 674
				甄歆	【*】	
				陶成嗣	【*】	

				甄逸	冀州【中山無極】	三國志魏書后妃傳頁 159
				高堂隆	兗州【泰山平陽】	
				李韜	【*】	
				虞松	兗州【陳留】	三國志魏書鍾會傳頁 785
				羊祜	兗州【泰山南城】	
				司馬炎	司州【河內溫人】	晉書武帝紀
				裴秀	司州【河東聞喜】	晉書王宏傳頁 2332
				王宏	兗州【山陽人】	三國志魏書鍾會傳頁 795-796
	給事黃門侍郎			丁廙	豫州【沛國】	三國志魏書任城傳頁 561
				夏侯尚	豫州【沛國譙人】	三國志魏書夏侯尚

						傳 頁 293-294
				劉廙	荆州【南陽安眾】	
				王毖	【＊】	三國志魏書文帝紀頁 63
				董遇	司州【弘 農】	三國志魏書王朗傳頁 420
				鮑勛	兗州【泰山平陽】	三國志魏書鮑勛傳頁 383
				曹純	豫州【沛國譙人】	三國志魏書曹仁傳頁 277
				司馬懿	司州【河內溫人】	
				盧毓	幽州【涿郡涿人】	三國志魏書盧毓傳頁 650-651
				顏斐	兗州【濟 北】	三國志魏書倉慈傳頁 513

				司馬孚	司州【河內溫縣】	晉書安平獻王孚傳頁 1081
				任嘏	青州【樂 安】	三國志魏書王昶傳頁 748
				王肅	徐州【東海郯人】	三國志吳書孫靜/皎傳頁 1207
				劉靖	豫州【沛國相人】	三國志魏書劉馥傳頁 463
				韓遜	【*】	
				鍾毓	豫州【穎川長社】	三國志魏書鍾毓傳頁 399
				杜恕	雍州【京兆杜陵】	三國志魏書杜畿傳頁 498
				李豐	雍州【馮翊東縣】	三國志魏書夏侯尙傳 頁 301
				夏侯玄	豫州【沛國譙人】	

				何曾	豫州【陳國陽夏】	晉書何曾傳 頁994
				夏侯惠	豫州【沛國譙人】	三國志魏書夏侯淵傳 頁272
				荀閎	【*】	
				袁侃	豫州【陳郡扶樂】	三國志魏書袁渙傳頁336
				臧艾	兗州【泰山華人】	三國志魏書臧霸傳頁538
				傅嘏	雍州【北地泥陽】	三國志魏書傅嘏傳頁622
				裴秀	司州【河東聞喜】	晉書裴秀傳 頁673
				王黎	雍州【高邑】	三國志魏書鍾會傳頁795
				王沈	并州【太原晉陽】	晉書王沈傳 頁1143
				朱整	【*】	
				賈充	司州	晉書賈充

					【平陽襄陵】	傳 頁 1165
				龐岷	荊州【襄陽人】	三國志蜀書龐統傳頁 953
				畢軌	兗州【東平】	三國志魏書曹爽傳頁 289
				傅充	雍州【北地】	三國志魏書傅嘏傳頁 622
				王沈	并州【太原晉陽】	晉書王沈傳 頁 1143
				程曉	兗州【東郡東阿】	三國志魏書程昱傳頁 425-429
				鍾會	豫州【潁川長社】	三國志魏書鍾會傳頁 784
				羊祜	兗州【泰山南城】	晉書羊祜傳 頁 1013
				孫彧	【*】	

				司馬珪	司州【河內溫縣】	晉書宗室列傳頁1091
				司馬晃	司州【河內溫縣】	晉書宗室列傳頁1091
				向雄	司州【河內山陽】	晉書向雄傳頁1335
				王渾	并州【太原晉陽】	晉書王渾傳頁1201
				華表	冀州【平原高唐】	晉書華表傳頁1260
	散騎侍郎			鄧靜	【＊】	
				尹商	【＊】	
				王昶	并州【太原晉陽】	三國志魏書王昶傳頁743
				王象	司州【河 內】	三國志魏書覬/潘勖王象傳頁612
				鍾毓	豫州	三國志魏

					【穎川長社】	書鍾毓傳 頁 399
				王肅	徐州【東海郯人】	三國志魏書王肅傳 頁 106
				孟康	冀州【安平人】	三國志魏書杜畿傳 頁 506
				桓範	豫州【沛國】	三國志魏書曹爽傳 頁 287
				曹爽	豫州【沛國譙人】	
				何曾	豫州【陳國陽夏】	晉書何曾傳 頁 994
				王嘉	【*】	
				毛曾	司州【河內】	三國志魏書后妃傳 頁 167
				夏侯惠	豫州【沛國譙人】	
				劉劭	冀州【廣平邯鄲】	三國志魏書劉劭傳 頁 617
				杜恕	雍州	三國志魏

					【京兆杜陵】	書杜畿傳頁 468
				夏侯玄	豫州 【沛國譙人】	
				陳泰	豫州 【穎川許昌】	三國志魏書陳群傳頁 638
				何宴	荆州 【南陽宛人】	後漢書何進傳頁2246
				荀顗	豫州 【穎川】	晉書荀顗頁 1150
				桓纂	【*】	
				華表	冀州 【平原高唐】	晉書華表傳頁1260
				王渾	并州 【太原晉陽】	晉書王渾傳頁1201
				司馬亮	司州 【河內溫縣】	
	黃門冗從僕射			劉賢	【*】	
	小黃門			吳達	【*】	
				李豐	【*】	

				張當	【＊】	
	黃門諸署長					
	中黃門					
	黃門從官			焦伯	【＊】	
	黃門都督			張當	【＊】	
	黃門監			蘇鑠	【＊】	
錄尙書事				司馬懿	司州【河內溫縣】	
				陳群	豫州【穎川許昌】	三國志魏書/卷二十二 三國志魏書二十二/陳群 633
				曹爽	豫州【沛國譙人】	
				司馬師	司州【河內溫縣】	
				司馬昭	司州【河內溫人】	
尙書令				荀攸	豫州【穎川穎陰】	
				徐奕	徐州【東 莞 人】	三國志魏書徐奕傳

						頁 377
				劉先	荆州 【零陵】	三國志魏書劉表傳頁 215-216
				桓階	荆州 【長沙臨湘】	三國志魏書桓階傳頁 631
				陳群	豫州 【潁川許昌】	三國志魏書陳群傳頁 638
				陳矯	徐州 【廣陵東陽】	魏書/卷二十二魏書二十

【此處原稿缺漏】

				司馬孚	司州【河內溫縣】	晉書安平獻王孚傳頁 1085
				裴秀	司州【河東聞喜】	晉書裴秀傳 頁 1037
	尙書僕射			涼茂	兗州【山陽昌邑】	三國志魏書涼茂傳頁 338
				何夔	豫州【陳郡陽夏】	三國志魏書何夔傳頁 378
				毛玠	兗州【陳留平丘】	三國志魏書毛玠傳頁 374
				邢顒	冀州【河間鄚人】	三國志魏書邢顒傳頁 382
				陳群	豫州【穎川許昌】	三國志魏書陳群傳頁 633
				司馬懿	司州【河內溫縣】	
				杜畿	雍州【京兆杜陵】	三國志魏書杜畿傳

						頁 493
				王思	兗州【濟 陰】	三國志魏書/卷十五 三國志魏書十五/梁習 470
				盧毓	幽州【涿郡涿人】	三國志魏書盧毓傳頁 650
				李豐	雍州【馮翊東縣】	三國志魏書裴潛傳頁 674
				傅嘏	雍州【北地泥陽】	三國志魏書傅嘏傳頁 622
				裴秀	司州【河東聞喜】	晉書裴秀傳 頁 1037
			（左）	李義	雍州【馮翊東縣】	三國志魏書裴潛傳頁 674
				衛臻	兗州【陳留襄邑】	三國志魏書衛臻傳頁 647

				徐宣	徐州【廣陵海西】	三國志魏書徐宣傳頁 645
				陳泰	豫州【潁川許昌】	
				荀顗	豫州【潁川人】	晉書荀顗傳 頁 1150
				崔讚	冀州【高陽】	三國志魏書夏侯玄傳 頁 303
			（右）	司馬懿	司州【河內溫縣】	
				衛臻	兗州【陳留襄邑】	三國志魏書衛臻傳頁 647
				司馬孚	司州【河內溫縣】	晉書安平獻王孚傳頁 1085
				陳泰	豫州【潁川許昌】	
				王觀	兗州【東郡廩丘】	三國志魏書王觀傳頁 693
				羊瑾	【*】	

	尙書五人		（吏部）	毛玠	兗州【陳留平丘】	三國志魏書毛玠傳頁 374
				徐奕	徐州【東 莞 人】	三國志魏書徐奕傳頁 377
				桓階	荆州【長沙臨湘】	三國志魏書桓階傳頁 631
				陳群	豫州【穎川許昌】	三國志魏書陳群傳頁 633
				崔琰	冀州【清河東武城】	三國志魏書崔琰傳頁 367
				陳矯	徐州【廣陵東陽】	三國志魏書陳矯傳頁 645
				衛臻	兗州【陳留襄邑】	三國志魏書衛臻傳頁 647
				盧毓	幽州【涿郡涿人】	三國志魏書盧毓傳頁 650
				何晏	荆州	

					【南陽新野】	
				盧欽	幽州 【范陽涿人】	晉書盧欽傳 頁1254
				和逌	豫州 【汝南西平】	
				崔讚	冀州 【高陽】	三國志魏書夏侯玄傳 頁303
			（度支）	何夔	豫州 【陳郡陽夏】	三國志魏書何夔傳頁378
				司馬孚	司州 【河內溫縣】	晉書安平獻王孚傳頁1085
			（尚書）	崔琰	冀州 【清河東武城】	三國志魏書崔琰傳頁367
				傅巽	【*】	
				張既	雍州 【馮翊高陵】	三國志魏書張既傳頁471
				常林	司州 【河內溫人】	三國志魏書常林傳頁658

				衛覬	司州【河東安邑】	三國志魏書衛覬傳頁 610
				桓階	荆州【長沙臨湘】	三國志魏書桓階傳頁 631
				陳矯	徐州【廣陵東陽】	三國志魏書陳矯傳頁 645
				杜畿	雍州【京兆杜陵】	三國志魏書杜畿傳頁 493
				陳群	豫州【穎川許昌】	三國志魏書陳群傳頁 633
				司馬懿	司州【河內溫縣】	
				崔林	冀州【清河東武城】	三國志魏書崔林傳頁 679
				衛臻	兗州【陳留襄邑】	三國志魏書衛臻傳頁 647
				蔣濟	揚州【楚國平阿】	三國志魏書蔣濟傳

						頁 452
				趙儼	豫州【潁川陽翟】	三國志魏書趙儼傳頁 668
				徐宣	徐州【廣陵海西】	三國志魏書徐宣傳頁 645
				杜襲	豫州【潁川定陵】	三國志魏書杜襲傳頁 664
				裴潛	司州【河東聞喜】	三國志魏書裴潛傳頁 671
				夏侯楙	徐州【沛國譙人】	
				諸葛誕	徐州【琅邪陽都】	三國志魏書諸葛誕唐咨傳頁 769
				許混	豫州【汝南西平】	三國志魏書和洽傳頁 658
				韓宣	冀州【勃海人】	三國志魏書裴潛傳頁 675

				孫禮	幽州【涿郡容城】	三國志魏書孫禮傳頁 691
				王觀	兗州【東郡廩丘】	三國志魏書王觀傳頁 693
				桓範	豫州【沛國】	
				許允	冀州【高 陽】	三國志魏書夏侯尚/子玄傳頁 302
				薛悌	兗州【東郡】	三國志魏書陳矯傳頁 645
				劉靖	豫州【沛國相人】	三國志魏書劉馥傳頁 463
				袁侃	豫州【陳 郡】	三國志魏書袁渙傳頁 336
				袁亮	豫州【陳郡】	三國志魏書袁渙傳頁 336
				王沈	并州	晉書王沈

					【太原晉陽】	傳 頁 1143
				繆襲	徐州 【東 海】	三國志魏書 劉劭/繆 襲 傳 頁 620
				黃休	【*】	
				郭彝	【*】	
				陳泰	豫州 【穎川許昌】	
				畢軌	兗州 【東平】	三國志魏書曹爽傳頁 283
				丁謐	豫州 【沛國】	三國志魏書曹爽傳頁 283
				鄧颺	荊州 【南陽】	三國志魏書曹爽傳頁 283
				王基	青州 【東萊曲城】	三國志魏書王基傳頁 750
				王廣	并州 【太原祈人】	三國志魏書王淩傳頁 758

				傅嘏	雍州【北地泥陽】	三國志魏書傅嘏傳頁 622
				崔贊	冀州【*】	三國志魏書夏侯玄傳 頁 303
				陳騫	徐州【臨淮東陽】	晉書陳騫傳 頁 1035
				何曾	豫州【陳國陽夏】	晉書何曾傳 頁 994
				荀顗	豫州【穎川】	晉書荀顗頁 1150
				鍾毓	豫州【穎川長社】	
				裴秀	司州【河東聞喜】	晉書裴秀傳 頁 1037
				魯芝	雍州【扶風郿人】	晉書魯芝傳 頁 2328
				王經	冀州【清 河】	三國志魏書夏侯尚/子玄傳頁 304

				鍾會	豫州 【潁川長社】	三國志魏書鍾會傳頁 784
				華歆	冀州 【平原高唐】	三國志魏書華歆傳頁 401
				盧欽	幽州 【范陽涿人】	晉書盧欽傳 頁 1254
				蘇愉	【*】	
				王默	【*】	
				蔡睦	【*】	
	尚書左右丞		（左）	曹璠	【*】	
				石鑒	冀州 【樂陵厭次】	晉書石鑒列傳頁 1265
				郤晞	【*】	
			（右）	鄭袤	司州 【滎陽開封】	晉書鄭袤傳 頁 1249
	郎中廿五人		（吏部）	盧毓	幽州 【涿郡涿人】	三國志魏書盧毓傳頁 650
				胡質	揚州	三國志魏

					【楚國壽春】	書胡質傳頁 741
				諸葛誕	徐州【琅邪陽都】	三國志魏書諸葛誕唐咨傳頁 769
				龐德公	荊州【襄陽】	三國志蜀書龐統傳頁 953
				許允	冀州【高 陽】	三國志魏書夏侯尚/子玄傳頁 302
				劉陶	揚州【淮南】	後漢書劉陶傳 頁 1842
				袁侃	豫州【陳 郡】	晉書何曾傳 頁 994
				裴徽	司州【河東聞喜】	三國志魏書裴潛傳頁 674
				山濤	司州【河內懷人】	晉書山濤傳 頁 1223
				裴楷	司州	三國志魏

					【河東聞喜】	書裴潛傳頁 674
				魏衡	兗州【任城樊人】	晉書魏舒傳頁 1185
				劉基	【＊】	
				李允	荊州【江 夏】	三國志吳書孫靜/皎傳頁 1207
				高達	【＊】	
			（比部）	何貞	【＊】	
			（度支）	丁謐	豫州【沛國】	三國志魏書曹爽傳頁 283
			（水部）	唐彬	豫州【魯國鄒人】	晉書唐彬傳頁 1217
			（左民）	荀訥	【＊】	
			（考功）	鄭默	司州【河東開封】	晉書鄭默傳頁 1251
			（定科）	裴楷	司州【河東聞喜】	三國志魏書裴潛傳頁 674
			（尚書郎）	高柔	兗州【陳留圉人】	三國志魏書高柔傳

						頁 682
				徐邈	幽州【燕國薊人】	三國志魏書徐邈傳頁 739
				衛覬	司州【*】	三國志魏書衛覬傳頁 611
				王觀	兗州【東郡廩丘】	三國志魏書王觀傳頁 693
				韓宣	冀州【勃 海 人】	三國志魏書裴潛傳頁 675
				劉劭	冀州【廣平邯鄲】	三國志魏書劉劭傳頁 617
				諸葛誕	徐州【琅邪陽都】	三國志魏書諸葛誕唐 咨 傳頁 769
				鄭沖	司州【河南開封】	晉書鄭沖傳 頁 991
				毋丘儉	司州【河東聞喜】	三國志魏書毌丘儉傳 頁 76

				廉昭	【＊】	
				張緝	雍州 【馮翊高縣】	三國志魏書張既傳頁 478
				鄧颺	荆州 【南陽新野】	後漢書鄧寇頁 599
				魏衡	兗州 【任城樊人】	晉書魏舒傳頁 1185
				楊偉	【＊】	
				鄧艾	荆州 【義陽棘陽】	三國志魏書鄧艾傳頁 775
				任嘏	青州 【樂 安】	三國志魏書王昶傳頁 748
				王業	兗州 【山陽】	三國志魏書鍾會傳頁 795
				劉陶	揚州 【淮南】	三國志魏書劉曄傳頁 449
				傅嘏	雍州 【北地泥陽】	三國志魏書傅嘏傳頁 622
				王弼	兗州	三國志魏

					【山陽】	書鍾會/王弼傳頁795
				阮籍	兗州【陳留尉氏】	晉書/阮籍傳頁1359
				鍾會	豫州【潁川長社】	三國志魏書鍾會傳頁784
				楊綜	【*】	
				盧欽	幽州【范陽涿人】	晉書盧欽傳頁1254
				石苞	冀州【渤海南皮】	晉書石苞子喬/孫鑠傳頁1009
				樂廣	荊州【南陽淯陽】	晉書樂廣傳頁1243
				魏舒	兗州【任城樊人】	晉書魏舒傳頁1185
				劉寔	冀州【平原高唐】	晉書劉寔傳頁

						1190
				鄭袤	司州【河南開封】	晉書鄭袤傳 頁1249
				李允	荊州【江 夏】	三國志吳書孫靜/皎傳 頁1207
				石鑒	冀州【樂陵厭次】	晉書石鑒傳 頁1265
				華嶠	冀州【平原高唐】	三國志魏書華歆傳頁406
				杜預	雍州【京兆杜陵】	晉書杜預傳 頁1025
				陳騫	徐州【臨淮東陽】	晉書陳騫傳 頁1035
				裴楷	司州【河東聞喜】	三國志魏書裴潛傳頁674
				衛瓘	司州【河東安邑】	晉書衛瓘傳頁1055

				賈充	司州【平陽襄陵】	晉書賈充傳 頁 1165
				周浚	豫州【汝南安成】	晉書周浚傳 頁 1657
				魯芝	雍州【扶風郿人】	晉書魯芝傳 頁 2328
				王宏	兗州【山陽人】	三國志魏書鍾會傳頁 795-796
				徐劭	【*】	
				范粲	兗州【陳留外黃】	晉書范粲傳 頁 2431
				劉熙	豫州【沛國相人】	三國志魏書劉馥傳頁 463
				高延	【*】	
	尚書諸曹典事					
	尚書主書令史					

中書監				劉放	幽州【涿 郡 人】	三國志魏書劉放傳頁 456
				孟康	冀州【安平人】	三國志魏書杜畿傳頁 506
				朱整	【＊】	
				韋誕	雍州【京兆】	三國志魏書劉劭傳頁 620
	中書令			孫資	并州【太原人】	三國志魏書劉放/孫資傳頁 457
				劉表	兗州【山陽高平】	三國志魏書劉表傳頁 210
				李豐	雍州【馮翊東縣】	三國志魏書裴潛傳頁 674
				孟康	冀州【＊】	
				虞松	兗州【陳留】	三國志魏書鍾會傳頁 785

				劉階	【＊】	
				甄備	【＊】	
	中書侍郎			司馬孚	司州【河內溫縣】	晉書安平獻王孚傳頁 1085
				刁幹	【＊】	
				韓暨	荊州【南陽堵陽】	三國志魏書韓暨傳頁 677
				鄧颺	荊州【南陽】	三國志魏書曹爽傳頁 283
				張緝	雍州【馮翊高陵】	三國志魏書張既傳頁 477
				王基	青州【東萊曲城】	三國志魏書王基傳頁 750
				鍾會	豫州【潁川長社】	三國志魏書鍾會傳頁 784
				夏侯和	豫州【沛國譙人】	三國志魏書夏侯淵傳 頁 273
				衛瓘	司州	晉書衛瓘

					【河東安邑】	傳頁 1055
				王沈	并州 【太原晉陽】	晉書王沈傳　頁 1143
				虞松	兗州 【陳留人】	三國志魏書鍾會傳頁 785
				王伯興	【*】	
				羊祜	兗州 【泰山南城】	晉書羊祜傳　頁 1013
				任愷	青州 【樂安博昌】	晉書任愷子罕　傳頁 1285
				張華	幽州 【范陽方城】	晉書張華傳　頁 1068
				裴楷	司州 【河東聞喜】	三國志魏書裴潛傳頁 674
			（通事郎）	荀勖	豫州 【潁川潁陰】	晉書荀勖傳　頁 1152
				衛瓘	司州 【河東安邑】	晉書衛瓘傳頁 1055

				鄒湛	荊州【南陽新野】	晉書文苑/鄒湛子捷傳 頁2380
				楊文宗	【＊】	
	中書通事			華廙	【＊】	
	中書主書令			紀元龍	【＊】	
				郤揖	【＊】	
	著作郎		（典著作）	衛覬	司州【河東安邑】	
				王沈	并州【太原晉陽】	晉書王沈傳 頁1143
				應璩	豫州【汝南】	三國志魏書王粲傳頁599
			（郎）	孫該	兗州【任城】	三國志魏書劉劭傳頁620
				王沈	并州【太原晉陽】	晉書王沈傳 頁1143
				傅玄	雍州【北地泥陽】	晉書傅玄傳 頁

						1317
				繆施	徐州【東 海】	晉書傅玄傳 頁1317
	著作佐郎			張華	幽州【范陽方城】	晉書張華傳 頁1068
	著作主書令史					
祕書監			（令）	路粹	兗州【陳留】	三國志魏書王粲傳頁602
				劉放	幽州【涿 郡 人】	三國志魏書劉放傳頁456
			（領祕書監）	王象	司州【河 內】	三國志魏書楊俊傳頁664
				王肅	徐州【東海郯人】	三國志魏書王肅傳頁414
			（監）	庾峻	豫州【潁川鄢陵】	晉書庾峻傳 頁1391
				孫炎	【*】	

				王沈	并州【太原晉陽】	晉書王沈傳頁1143
				秦靜	【*】	
				羊祜	兗州【泰山南城】	晉書羊祜傳頁1013
				司馬		
				裴演	【*】	
	祕書左右丞		（左右丞）	劉放	幽州【涿郡人】	三國志魏書劉放傳頁456
				孫資	并州【太原人】	三國志魏書劉放、孫資傳頁457
			（丞）	嚴苞	雍州【馮翊】	三國志魏書王肅傳頁421
				薛夏	涼州【天水人】	三國志魏書王朗、孫叔然傳頁421
				何楨	揚州【廬江】	三國志魏書王烈傳

						頁 363
				庾峻	豫州【潁川鄢陵】	晉書庾峻傳 頁 1391
	祕書郎四人			劉放	幽州【涿 郡 人】	三國志魏書劉放傳頁 456
				孫資	并州【太 原 人】	三國志魏書 劉 放 / 孫 資 傳 頁 457
				劉劭	冀州【廣平邯鄲】	三國志魏書劉劭傳頁 617
				王基	青州【東萊曲城】	三國志魏書王基傳頁 750
				鍾會	豫州【潁川長社】	三國志魏書鍾會傳頁 784
				劉璠	【＊】	
				鄭默	【＊】	
				何楨	揚州【盧江】	三國志魏書王烈傳頁 363

	校書郎			杜摯	司州【河 東】	三國志魏書劉劭傳頁620
	主書主圖主譜令史					

附錄二：曹魏十三州及所屬郡一覽表

州	郡	
司州（司隸校尉）	河南、河東、河內、弘農、平陽	
揚州（治壽春）	淮南、廬江	
青州（治臨淄）	齊郡、濟南、樂安、北海、城陽 東萊、長廣	
徐州（治下邳）	下邳、琅邪、東莞、廣陵、彭城國、東海國	
兗州（治廩）	東郡、濟陰、山陽、泰山、陳留國、任城國、東平國、濟北國	
荊州（治新野）	南陽、南鄉、義陽、江夏、襄陽 、魏興、新城、上庸	
豫州（治項）	穎川、襄城、汝南、汝陰、陽安、戈陽、陳郡、譙郡、魯郡、安豐、梁國、沛國	
雍州（治長安）	京兆、馮翊、扶風、漢興、北地、新平	
涼州（治金城）	金城、西平、安定、武威、張掖、西郡、酒泉、敦煌	
秦州（治上邽）	隴西、南安、漢陽、廣魏	

冀州（治信都）	魏郡、廣平、陽平、朝歌、鉅鹿、常山、安平、平原、博陵、勃海、章武、河間、清河、趙國、中山國樂陵	
幽州（治涿）	范陽、北平、上谷、遼西、昌黎、遼東、代郡、樂浪、玄菟、帶方、燕國	
并州（治晉陽）	太原、上黨、樂平、西河、雁門、新興	
梁州（遙領）		
益州（遙領）		

資料來源：洪飴孫，＜三國職官表＞，收錄在《二十五史補編》（北京，中華書局，1986），頁 2815。

附錄三：建安十八年至廿四年魏國官員及所屬州籍一覽表

	豫州	司州	徐州	雍州	冀州	兗州	并州	青州	幽州	揚州	涼州	荊州	秦州	梁州	益州	不詳
國相	鍾繇															
御史大夫	袁渙		王朗					華歆								
太常			王朗			涼茂		王脩								
郎中令	袁渙 和洽							王脩								
衛尉						程昱										
太僕								國淵								
大理	鍾繇		王朗													
大農	袁霸							王脩								
大鴻臚																張太

少府		耿紀	王朗													謝奂 萬潛
中尉		楊俊				涼茂		國淵								邢貞
太子太傅	何夔					涼茂										
尚書令	荀攸		徐奕									桓階 劉先				
尚書僕射	何夔 陳群	李義				涼茂 毛玠										
尚書	何夔 陳群	常林 衛覬	徐奕 陳矯	張既	崔琰	毛玠						桓階				
尚書郎		衛覬				高柔			徐邈 盧毓							
侍中	杜襲 和洽 陳群	衛覬 耿紀				王粲						桓階				

	豫州	司州	徐州	雍州	冀州	兗州	并州	青州	幽州	揚州	涼州	荊州	秦州	梁州	益州	不詳
散騎常侍	夏侯尚															
黃門侍郎	丁廙 曹純 夏侯尚	司馬懿 董遇				鮑勛						劉廙				王毖
散騎侍郎																鄧靜 尹商

附錄四：文帝時期官員及所屬州籍一覽表

	豫州	司州	徐州	雍州	冀州	兗州	并州	青州	幽州	揚州	涼州	荊州	秦州	梁州	益州	不詳
丞相					華歆											
太傅	鍾繇															
大司馬	曹仁 曹休															
大將軍	曹仁 曹真 夏侯惇															孫權[1]
太尉	鍾繇				華歆						賈詡					
司徒			王朗		華歆											
司空	陳群		王朗		華歆											
儀同三司																
特	曹洪								閻柔							楊

因爲對曹魏內部政治發展沒有重要影響故不列入計算。

進									鮮于輔							秋
光祿大夫		楊彪				董昭										
侍中	[辛毗] 夏侯楙 趙儼	司馬懿		蘇則 [傅巽]	邢顒	衛臻 董昭 吳質	溫恢			[劉曄]		劉廙			[黃權]	鄭稱
散騎常侍	[應璩] 夏侯湛 孔乂	裴潛 王象 荀緯	徐宣 卞蘭	傅巽	劉劭	衛臻	王淩			劉靖 蔣濟						孟達
給事中	曹真 邯鄲淳	司馬孚 司馬懿				董昭 蘇林										董巴
黃門侍郎	劉靖	司馬孚	王肅			顏斐		任嘏	盧毓							韓遜
散騎侍	鍾毓 桓範 [曹爽]	王象	[王肅]		劉劭 孟康		王昶									桓纂

郎																
錄尚書事	陳群	司馬懿														
尚書令	陳群		陳矯									桓階				
尚書僕射	陳群	司馬懿		杜畿												
尚書	趙儼 杜襲	衛覬 司馬懿 司馬孚	徐宣	杜畿	崔林	衛臻				蔣濟						
尚書郎		衛覬 鄭沖	諸葛誕		韓宣 劉劭	高柔 王觀			徐邈 盧毓	胡質		龐德公				
中書監									劉放							
中書令							孫資									

中書郎		司馬孚														
著作郎																
秘書監		王象				路粹										
秘書丞				嚴苞			孫資		劉放		薛夏					
	豫州	司州	徐州	雍州	冀州	兗州	并州	青州	幽州	揚州	涼州	荊州	秦州	梁州	益州	不詳

附錄五：明帝時期官員及所屬州籍一覽表

	豫州	司州	徐州	雍州	冀州	兗州	并州	青州	幽州	揚州	涼州	荊州	秦州	梁州	益州	不詳
丞相																
太傅	鍾繇	司馬懿														
大司馬	曹休 曹真															公孫淵[1]
大將軍	曹真 燕王宇 曹爽	司馬懿														
太尉		司馬懿			華歆	滿寵										
司徒			王朗 陳矯			董昭 衛臻						韓暨				
司空	陳群				崔林	衛臻										
儀同															黃權	

因對曹魏內部政治發展沒有重大影響故不納入計算。

三司																
特進		毛嘉			張郃 郭表											
光祿大夫		常林 毛嘉 裴潛	徐宣 陳矯			衛臻	孫資		劉放							
侍中	應璩 辛毗	董遇	繆襲 徐宣 陳矯	韋誕 傅巽	甄溫	高堂隆 吳質	孫資		劉放 盧毓	劉曄					黃權	鄭德
散騎常侍	曹肇 曹爽 應璩 荀彪 郭敞	司馬師 毛曾	繆襲 王肅		甄像 甄暢	高堂隆 蘇林	孫資	王忠	劉放 孫禮	蔣濟						
給事中				馬鈞 李豐	甄逸	高堂隆	孫資		劉放							秦朗 郭謀 李韜 甄歆 陶

																成嗣
黃門侍郎	鍾毓 夏侯玄 何曾 袁侃 夏侯惠 荀閎			杜恕 李豐		臧艾										
散騎侍郎	曹爽 何曾 夏侯玄 陳泰 夏侯惠	毛曾		杜恕	劉劭											王嘉
錄尚書事	曹爽	司馬懿														

尚書令	和洽		陳矯			薛悌										
尚書僕射		司馬孚	徐宣			王思 衛臻										
尚書	夏侯楙 桓範 許混 劉靖 趙儼 杜襲	裴潛 司馬孚 衛覬	諸葛誕 徐宣	傅巽	韓宣 許允	王觀 薛悌 衛臻			孫禮							趙咨
尚書郎		毌丘儉		張緝	許允	魏衡 王業		任嘏		劉陶		鄧艾 鄧颺				廉昭 楊偉
中書監									劉放							
中書令							孫資									
中書				張緝								韓暨				刁幹

	豫州	司州	徐州	雍州	冀州	兗州	并州	青州	幽州	揚州	涼州	荊州	秦州	梁州	益州	不詳
郎																
著作郎																
秘書監	庾峻		王肅													孫炎
秘書丞										何楨						

附錄六：嘉平至魏末官員及所屬州籍一覽表

	豫州	司州	徐州	雍州	冀州	兗州	并州	青州	幽州	揚州	涼州	荊州	秦州	梁州	益州	不詳
丞相或稱相國		司馬昭 司馬炎														
太傅		司馬孚														
太保		鄭沖														
大司馬																
大將軍		司馬師 司馬昭														
太尉		司馬孚	王祥			高柔	王淩			蔣濟		鄧艾				
司徒	鍾會 何曾	司馬望				高柔										

		鄭沖														
司空	荀顗	司馬孚 鄭沖	諸葛誕 王祥			王觀	王淩 王昶		孫禮 盧毓							
儀同三司			諸葛誕				郭淮 王昶									孫壹
特進			卞隆	張緝	甄像											王夔
光祿大夫	陳泰 武周	裴秀 鄭袤	卞隆	張緝 韋誕		王觀		孫邕	盧毓	何楨						王夔
侍中	荀顗 鍾毓 何曾 陳泰 武周 和逌	司馬師 司馬昭 司馬孚 衛瓘 鄭袤 鄭沖	王祥 王恂		華表	范粲 阮諶	王沈	鄭小同			周生烈					孫壹 趙酆

散騎常侍	曹彥	裴秀 衛瓘 司馬炎 賈充 司馬望 司馬攸 司馬亮 司馬壞 鄭沖	王肅		孟康 甄暢	阮籍 王業	王沈 王渾	劉毅 任愷[1]	盧欽			樊建 董厥				荀廙 司馬□□ 儀 徐紹 孫彧 吳奮 糜元 樂方 徐超 寇閿
給事		司馬				虞松 羊祜										

任愷本爲員外散騎常侍，因人數只有一人，故放在此處

中		炎 裴秀				王宏										
黃門侍郎	鍾會	向雄 司馬珪 司馬晃			華表	羊祜 程曉	王沈 王渾									孫彧
散騎侍郎		司馬亮			華表		王渾									
錄尚書事		司馬師 司馬昭														
尚書令		裴秀														
尚書僕射	荀顗 陳泰	裴秀		傅嘏	崔贊	王觀 羊瑾			盧毓							
尚	和逌	裴秀	陳騫	傅嘏	崔贊	王觀	王廣	王基	盧欽			鄧颺				

書	丁謐 袁亮 袁侃 何曾 荀顗 鍾毓 鍾會			魯芝 蘇愉	王經 華表 許允	蔡睦	王沈 王默		盧毓							
尚書郎	周浚 袁侃 丁謐 唐彬 劉熙	賈充 山濤 衛瓘 裴楷 裴徽 鄭袤 鄭默	陳騫	杜預 魯芝 華嶠	石苞 劉寔 石鑒	魏舒 范粲 魏衡 王宏			盧欽	劉陶		樂廣				楊綜 李允 徐劭 高延 劉基 高達 荀訥 何貞
中書				韋誕	孟康											朱整

	豫州	司州	徐州	雍州	冀州	兗州	并州	青州	幽州	揚州	涼州	荊州	秦州	梁州	益州	不詳
監																
中書令				李豐	孟康	虞松										劉階甄備
中書郎	夏侯和荀勖	衛瓘裴楷				虞松羊祜	王沈	任愷	張華			鄒湛				王伯輿楊文宗
著作郎	應璩		繆施	傅玄		孫該	王沈		張華							
秘書監						羊祜	王沈									秦靜裴演司馬
秘書丞																

參考書目

史料

正史：

《史記》，（台北：鼎文書局，1982）。

《漢書》，（台北：鼎文書局，1981）。

《後漢書》，（台北：鼎文書局，1981）。

《三國志》，（台北：鼎文書局，1980）。

《三國志集解》，（北京，中華書局，1982）。

《晉書》，（台北：鼎文書局，1983）。

《宋書》，（台北：鼎文書局，1980）。

相關史料：

杜祐，《通典》，（北京：中華書局，1992）。

徐天麟，《東漢會要》，（北京：中華書局，1998 年）。

楊晨，《三國會要》，（北京：中華書局，1998 年）。

司馬光，《資治通鑑》，（臺北：華世書局，1987）。

李林甫等，《唐六典》，（北京：中華書局，1992）。

王鳴盛，《十七史商榷》，（台北：大化書局，1984）。

萬斯同，＜魏國將相大臣年表＞，收錄在《二十五史補編》（北京：中華書局，1986）。

洪飴孫，《三國職官表》，收錄在《二十五史補編》（北京，中華書局，1986）。

歐陽詢等，《藝文類聚》，（上海：上海古籍，1999.5）。

孫星衍，《漢官六種》，（北京：中華書局，1990.9）。

鄭樵，《通志》，（北京：中華書局，1990.3）。

馬端臨，《文獻通考》，（北京：中華書局，1991.10）。

紀昀等，《歷代職官表》，（上海：上海古籍，1993.10）。
黃本驥，《歷代職官表》，（台北：宏業書局，1994.11）。
徐堅等，《初學記》，（北京：京華出版社，2000.5）。
虞世南，《北堂書鈔》，（北京：學苑出版社，1998.3）。
王欽若等，《冊府元龜》，（北京：中華書局，1988.8）。
李昉等，《太平御覽》，
（河北：河北教育出版社，1994.7）。
酈道元，《水經注》，（江蘇：江蘇古籍出版社，1989.6）。

論著

香港及臺灣地區：

王伊同，《五朝門第》，（香港）中文大學出版社
（1978 年）。
王業南，《中國官僚政治研究》，時代文化（1948 年）。
毛漢光，《中國中古社會史論》，聯經出版社
（民 77 年）。
毛漢光，《中國中古政治史論》，聯經出版社
（民 79 年）。
呂思勉，《秦漢史》，臺灣開明書店（民 72 年 3 月）。
呂思勉，《兩晉南北朝史》，臺灣開明書店
（民 66 年 6 月）。
李俊，《中國宰相制度》，台灣商務（1966 年）。
沈任遠，《魏晉南北朝政治制度》，臺灣商務印書館
（1971.10）。
周道濟，《漢唐宰相制度》，嘉新水泥公司（民 53 年）。
何啓民，《中古門第論集》，臺灣學生書局（民 67）。

商文立，《中國歷代地方政治制度》，正中書局（1980 年）。
陳琳國，《魏晉南北朝政治制度研究》，文津（民 83 年）。
張金鑒，《中國吏治制度史概要》，國立編譯館（1987 年）。
曾資生，《中國政治制度史》第三冊<魏晉南北朝>，香港龍門書店（1969 年十月）。
鄧之誠，《中華二千年史》，商務（1934 年）。
陶希聖，《中國秦漢政治制度史》，啓業書局（1973.10）。
陳寅恪，《隋唐制度淵源略論稿》，史語所專刊 22（1944 年）。
萬繩楠，《魏晉南北朝史論稿》，雲龍出版社（民 83 年）。
萬繩楠，《魏晉南北朝史文化史》，雲龍出版社（民 84 年）。
萬繩楠，《陳寅恪魏晉南北朝史講演錄》，黃山書社（1987 年）。
錢穆，《中國歷代政治得失》，東大圖書公司（民 73 年）
嚴耕望，《中國地方行政制度史》甲乙部，中央研究院歷史語言研究所（民 79 年五月三版）。
薩孟武，《中國社會政治史》第一、二冊，三民書局（民 78 年 12 月）。
鄭欽仁，《北魏官僚機構研究》，牧童出版社（民 65 年）。

鄭欽仁，《北魏官僚機構研究續編》，稻禾出版社（民 84 年）。
湯承業，《中國政治制度史》，黎明文化事業（1980 年）。
楊樹藩，《中國文官制度》，黎明文化事業（1982 年）。
盧建榮，《曹操》，聯鳴文化事業（民 69 年）。

中國大陸地區：

王素，《三省制略論》，齊魯（1986 年）
王惠岩、張創新，《中國政治制度史》，吉李大學出版社（1989 年）
左言東編，《中國政治制度史》，浙江古籍（1986 年）。
白鋼主編，《中國政治制度史》，天津人民（1991 年）
白鋼主編，《中國政治制度通史》，人民出版社（1996 年）。
唐長孺，《魏晉南北朝史論叢》，三聯書店（1955）。
張晉藩、王超，《中國政治制度史》，中國政法大學出版社（1987 年）。
祝總斌，《兩漢魏晉南北朝宰相制度研究》，中國社會科學出版社（1990）
郭沫若，《曹操論集》，三聯書店（1960）。
河北師院中文系古典文學教研組，《三曹資料匯編》，中華書局（1980）。
陳高華主編，《中國政治制度史綱》，黃山書社（1991 年）
陳仲安、王素，《漢唐職官制度研究》，中華（1981 年）
羅輝映主編，《中國古代政治制度史》，

四川大學出版社（1988 年）。
楊鴻年、歐陽鑫，《中國政制史》，安徽教育出版社（1988 年）。
書慶遠主編，《中國政治制度史》，中國人民大學出版社（1989 年）

論文

香港及台灣地區：

李學銘，＜東漢外戚存亡與洛陽北宮建置形勢的關係＞，《中國學人》1（民 59）
谷霽光，《西魏北周和隋唐間的府兵》，《中國社會經濟史集刊》5-1（民 26）。
何茲全，＜魏晉南北朝的兵制＞，《史語所集刊》16（民 36）。
何茲全，＜魏晉的中軍＞，《史語所集刊》17（民 37）。
周一良，＜北魏鎮戍制度考＞，《禹貢》4-5（民 24）。
周道濟，＜西漢君權與相權之關係＞，《大陸雜誌》11-12（民 44）。
周道濟，＜秦丞相制度之研究＞，《大陸雜誌》22-8（民 50）。
周道濟，＜漢代宰相的秩位＞，《大陸雜誌》23-10（民 50）。
周道濟，＜漢代宰相機關＞，《大陸雜誌》19-11（民 48）。
芮和蒸，＜兩漢時代之御史中丞＞上下，《大陸雜誌》19-9,10（民 48）。
芮和蒸，＜西漢時代的部刺史＞，《政大學報》3（民 50）。
芮和蒸，＜漢代之督郵＞，《政大學報》5（民 51）。

徐復觀，<漢代一人專制下的官制演變>，《大陸雜誌》38-7（民 58）。

鄧嗣禹，<唐代三省之沿革變遷考>，《清華學報》，卷期待查。

張亞澐，<兩漢尙書臺>，《政大學報》5。

張亞澐，<魏晉南北朝之尙書>，《政大學報》5（民 51）。

張景涵，<西漢史監制度的價值>，《思與言》4-3（民 55）。

張治安，<秦漢地方制度之研究>，《政大學報》43（民 70）。

陳啓雲，<略論兩漢樞機職事與三台制度之發展>，《新亞學報》4-2（民 48）。

陳啓雲，<劉宋時代尙書省權勢之演變>，《新亞學報》4-1（民 48）。

陳啓雲，<兩晉三省制度之淵源、特色及其演變>，《新亞學報》3-2（民 47）。

陳春生，<西漢政治制度的特質>，《東方雜誌復刊》12-8（民 68）。

閔孝吉，<魏中書制度>，《新民月刊》1-6（民 24）。

黃浩潮，<北魏御史制度>，《中國學人》3（民 60）。

黃熾霖，<兩漢尙書臺之研究>，《花蓮師院學報》第 7 期（民 83）。

蔡學海，<建安年代的正統觀>，《國立編譯館刊》14-1（民 74-6）。

勞榦，<漢代政治組織的特質及其功能>，《清華學報》8-1,2（民 59）。

勞榦，<秦郡問題討論>，《大陸雜誌》27-10（民 52）。

勞榦，＜秦郡的建置及其與漢郡之比較＞，《大陸雜誌特刊》第一輯下冊（民 41）。
勞榦，＜漢代郡制及其對於簡牘的參考＞，《傅故校長斯年逝世紀念論文集》（民 41）。
勞榦，＜秦漢九所考＞，《大陸雜誌》15-11（民 46）。
勞榦，＜漢代尚書的職任及其和內朝的關係＞，《史語所集刊》51（民 69）。
楊樹藩，＜兩漢尚書制度的研究＞，《大陸雜誌》23-3（民 50）。
楊樹藩，＜西漢中央政府議事制度＞，《大陸雜誌》16-9（民 47）。
楊樹藩，＜西漢「部刺史」有無「治所」問題＞，《大陸雜誌》31-12（民 45）。
楊樹藩，＜漢代郡國「守」「相」的權責＞，《大陸雜誌》15-1（民 46）。
楊樹藩，＜魏晉九品中正制度及其對政風之影響＞，《大陸雜誌》19-8（民 48）。
蔡興安，＜秦代九卿制度考＞上下，《大陸雜誌》26-4,5（民 52）。
蔡興安，＜秦代郡縣守令制度考＞，《大陸雜誌》31-12（民 54）。
嚴耕望，＜秦漢郎吏制度考＞，《史語所集刊》23（民 40）。
嚴耕望，＜北魏尚書制度考＞，《史語所集刊》18（民 37）。
嚴耕望，＜北朝中央中正與地方中正＞，《大陸雜誌》8-10（民 43）。
嚴耕望，＜北魏孝文帝尚書三十六曹考＞，《大陸雜誌》11-1

（民 44）。
嚴耕望，＜北朝尚書部分之演變＞，《學術季刊》4-2（民 44）。
嚴耕望，＜北魏軍鎮制度考＞，《史語所集刊》34-1（民 51）。
蒙思明，＜曹操的社會改革＞，《中央大學社會科學季刊》1-1（1943）。

大陸及日本地區：

高敏，＜孫吳奉邑制考略＞，《中國史研究》1985 年第 1 期。
高敏，＜東吳屯田制略述＞，《中州學刊》1982 年第 6 期。
高敏，＜關於東晉時期黃白籍的幾個問題＞，《中國史研究》1980 年第 4 期。
唐長孺，＜漢末學術中心的南移與荊州學派＞，《襄陽師專學報》1989 年第 2 期。
唐長孺，＜門閥的形成及其衰落＞，《武漢大學人文科學學報》1959-8。
熊德基＜魏晉南北朝時期階級結構研究中的幾個問題＞，《魏晉隋唐史論集》。
黃惠賢，＜試論曹魏西晉時期軍屯的兩種類型＞，《武漢大學學報》1980-4。
丹羽兌子，＜曹操政權論註記＞，《名古屋大學東洋史研究報告》2（1973）。
夏日新，＜兩晉之際的流民遷徙與流民集團＞，《爭鳴》2（1989）。

安田二郎，＜晉宋革命和雍州的僑民－－
從軍政支配向民政支配＞，《東亞史研究》421。
越智重明，＜魏王朝與士人＞，《史淵》111（1974）。
神矢法子，＜魏前期的人才主義＞，《九州大學東洋史論集》3（1974）。
宮川尚志，＜三國吳的政治制度＞，《史林》388-1（1955）。
川勝義雄，＜關於曹操軍團的構成＞，《東方學報》25（1956）。
濱口重國，＜關於後漢末、曹操時代兵民分離＞，《東方學報》11-1（1940）。
藤家禮之助，＜曹魏典農部屯田的消長＞，《東洋學報》45-2（1962）。
米田賢次郎，＜漢魏屯田與晉的占田、課田＞，《東洋史研究》21-4（1963）。
守屋美都雄，＜關於曹魏爵制的二、三考察＞，《東洋史研究》20-4（1962）。